It is better

To have regretted (cheated)

It is a question

To make a mistake

To take too long
to make a fist
to stand in a line
I also, neither do I
take care

competion
None of your business
Ques. Sentences

LE VOYAGE

DE

MONSIEUR PERRICHON

PAR

LABICHE ET MARTIN

EDITED WITH INTRODUCTION, NOTES, AND VOCABULARY

BY

BENJAMIN W. WELLS, Ph.D. (Harv)

D. C. HEATH & CO., PUBLISHERS

BOSTON   NEW YORK   CHICAGO

INTRODUCTION.

LE VOYAGE DE M. PERRICHON bears on its title-page the names of Labiche and Martin. The former is a noted writer of farces and light comedy, the latter one of his very numerous collaborators, whose part was probably rather of suggestion than of execution, so that in its literary aspects the play may be regarded as by Labiche alone.

The story of this author's literary career is peculiar. Popular almost from the first, his higher qualities were not appreciated by the critics till he had withdrawn from active literary life to the dignified leisure so dear to the French heart; and it was from his country-house in Normandy that he was called to take his seat in the French Academy, the highest honor that France has to bestow on her men of intellect.

Labiche was born on May 5, 1815, in the midst of the hundred days of Napoleon's desperate attempt to regain his throne. Like his friend Augier and several other of his dramatic associates, he studied for the bar; but this proved distasteful to him, and at twenty he began his literary career with stories in the newspapers, which he followed up, three years later, with a novel and his first drama, "M. de Coyllin," written with the double collaboration of MM. Michel and Lefranc. Though this play had very small success, the stage fascinated him, and for nearly forty years (1838–1876) he continued to pour out a succession of farces and comedies, of which only the best are gathered in the ten volumes of his so-called *Théâtre Complet.*

In 1876, anticipating the waning of his popularity, he retired to Normandy, wealthy, but with no prospect of enduring fame. He seemed to leave no gap behind in the dramatic world. Fortunately, however, he carried with him the friendship of Augier, the greatest French dramatist of this half-century, who, while visiting him some months after, fell to reading, on a rainy day, some of his friend's comedies, and found in them as much to admire as in their author. Charmed with his discovery, he persuaded Labiche to publish a collected edition of his plays, for which he furnished a warm preface. Others, among them Sarcey, the dramatic autocrat of Paris, chimed in the chorus of praise, and in 1879 no one found it presumptuous that he, whose departure had not left a ripple on the surface of literary Paris, should return as a candidate for the Academy, which, in these latter days, has been peculiarly cordial to playwrights, as though wishing to make honorable amends for the exclusion of Beaumarchais and Molière.[1] Labiche was made an Academician in 1880 ; but, for him at least, "contentment was better than wealth," and he could not be tempted to resume literary work, though some of his plays were revived with phenomenal success, chief among them "Perrichon," in 1879. Labiche died January 23, 1888.

All critics agree that "Perrichon" is the best of Labiche's plays.[2] While he is always witty, he seldom holds up so true

---

[1] His dramatic colleagues in the Academy of 1880 were Hugo, Augier, Dumas *fils,* Feuillet, Sandeau, Sardou, making, with Labiche, more than a sixth of the Forty Immortals.

[2] For critical appreciation of Labiche's comedies, see Augier's preface to the Théâtre Complet; Nouvelle Revue, Oct. 1, 1880 ; Dumas, Entr'actes, iii, 336;

or so polished a mirror to the foibles of human nature as in this comedy, though the very exuberance of his humor sometimes hides its truth, as it does that of Beaumarchais. This, however, is less true of "Perrichon" than of the majority of his collected plays. Here the humor is rather that of situation and of character than of what Butler calls "cat and puss" dialogue, the classic *stichomachia*, or that riotous fancy that, as Mr. Matthews puts it, "grins through a horse-collar." Behind the mask of caricature, the attentive reader will not fail to see, with Augier, delicacy of tone, accuracy of expression, and an unflagging vivacity. "Seek," the same writer continues, "among the highest works of our generation for a comedy of more profound observation than 'Perrichon.' . . . And Labiche has ten plays of this strength in his repertory." The number is, perhaps, a little too great; but while his farces and extravaganzas won their meed of ephemeral praise, in "Perrichon" and four or five other plays, Labiche rose to pure comedy, and set up in the domain of literature a work whose social philosophy gives it enduring life, and makes him, as Dumas says, "one of the finest and frankest of comic poets since Plautus, and perhaps the only one to be compared with him."[1]

What raises "Perrichon" above the comedy of farcical adventure is the philosophic thread around which the action

and, best of all, Matthews, French Dramatists, 224 seq., to whom I am much indebted in what follows. He has traced the well-known English farces, Box and Cox, Little Toddlekins, and The Phenomenon in a Smock-Frock, to Labiche, and has found Papa Perrichon in the repertory of the Boston Museum.

[1] To this higher range of comedy belong Célimare le Bien-Aimé, Le Plus Heureux des Trois, Cagnotte, and Moi, of which the two latter may be commended for general reading. Among the best of the farces are Poudre aux Yeux and La Grammaire, both with Perrichon in the second volume of the Théâtre Complet.

crystallizes. This thread is the psychological fact that the average man likes better the society of those whom he benefits than of those who benefit him.[1] M. Perrichon is such an average man, — a retired and wealthy carriage-maker, of good and generous but narrow and commercial nature, a rather rank flower of the Parisian middle-class. With his worthy help-meet and daughter he is taking his first pleasure-trip. Like most of Labiche's women, neither Madame Perrichon nor Henriette are firmly drawn. Indeed, Mr. Matthews quotes the French critic Sarcey as saying: "M. Labiche does not pretend to 'do' girls or women. He says they are not funny." The genial egoism of the father, however, furnishes humor enough for one family. His amiable weakness is brought out by the two suitors for his daughter's hand, Armand and Daniel. The former is evidently the truer lover, the latter the shrewder man. Armand tries to win favor in Perrichon's eyes by putting him under various obligations. Daniel trumps each trick of his rival by making Perrichon think that he has done an equal service for Daniel. So the vanity and egoism of the self-made man are flattered by the sight of the one, while they are hurt and repelled by the thought of the other. With a Perrichon, Daniel must inevitably carry the day. But the public demand the triumph of Armand, since he is not only the lover but the beloved of Henriette. Yet, however we may sympathize with her, French notions of propriety demand that she remain a passive spectator of the contest, whose varying fortunes are at length brought to a satisfactory close, not by any fault in Daniel's plan of action, but by Perrichon's overhearing him as he commends its merits to his rival and friend, a *dénouement*

---

[1] La Rochefoucauld's Maxim 245: "It is not so dangerous to do harm to most men as to do them too much good," is the thesis of Perrichon.

whose triteness is the only noteworthy blemish in this admirable comedy.

As M. Lemoinne said, in welcoming Labiche to the Immortals, however light or venturesome his dramas may be, they are never immoral, because they are never sentimental. Like all French and earlier English writers of comedy, Labiche is at times a little broad, but always sound at the core. In "Perrichon" there are but three speeches that could offend our strictest conventions. Since these were absolutely indifferent to the course of the action, and aggregated, with the dialogue that they involved, but sixteen lines of no great wit or value, I have omitted them without regret, as I have also the directions fixing the relative position of the actors on the stage.

Those who use the notes should bear in mind that translations are given because it is thought the dictionary might mislead. They presume a knowledge of academic usage, but go beyond this in an attempt to render slang by slang, colloquial, familiar, or popular French, by corresponding English expressions. Such translations have inevitably much of the personal, subjective element in them. They show, more or less successfully, what the editor conceives to be the spirit of the passage, and they have served their purpose if they bring the reader nearer to the spirit of the author, — it is so easy for students, in their first years of French, to forget that the author has any spirit. They thumb dictionary and grammar, and, reversing Chaucer's suggestion, "choose the chaff, and let the wheat be still."

All teachers know that the rendering of the numerous French oaths and expletives, so harmless and yet so foreign to our ideas, is a source of much embarrassment to pupils at the stage of progress in which "M. Perrichon" is likely to be read. Peculiar attention has been given to the proper shading in the translation of such expressions, by phrases not unbecoming to the class-room, and yet true to the spirit of the character that uttered and the situation that evoked them.

All social usages that differ from our own have been briefly described, so far as they were necessary to the present purpose, and since French irony, *blague*, and sarcasm are often misapprehended, even by the most careful students, it has seemed best, in a few cases, to suggest the spirit of a passage, even though its verbal translation was obvious.

BENJ. W. WELLS.

SEWANEE, TENN.

LE

VOYAGE DE MONSIEUR PERRICHON

COMÉDIE

Représentée pour la première fois, à Paris, sur le théâtre du Gymnase
le 10 septembre 1860.

1

PERSONNAGES.

PERRICHON.

LE COMMANDANT MATHIEU.

MAJORIN.

ARMAND DESROCHES.

DANIEL SAVARY.

JOSEPH, domestique du commandant.

JEAN, domestique de Perrichon.

MADAME PERRICHON.

HENRIETTE, sa fille.

UN AUBERGISTE.

UN GUIDE.

UN EMPLOYÉ DU CHEMIN DE FER.

COMMISSIONNAIRES, VOYAGEURS.

LE VOYAGE DE MONSIEUR PERRICHON

ACTE PREMIER

Une gare. Chemin de fer de Lyon,[1] à Paris. — Au fond,[2] barrière ouvrant sur les salles d'attente. Au fond, à droite, guichet pour les billets. Au fond, à gauche, bancs. A droite, marchande de gâteaux; 5
à gauche, marchande de livres.

SCÈNE I

MAJORIN, UN EMPLOYÉ[3] DU CHEMIN DE FER, VOYAGEURS
COMMISSIONNAIRES.

MAJORIN, *se promenant avec impatience.* Ce Perrichon n'arrive pas! Voilà une[4] heure que je l'attends... C'est 10
pourtant bien[5] aujourd'hui qu'il doit partir pour la Suisse avec sa femme et sa fille... (*Avec amertume.*) Des carrossiers[6] qui vont en Suisse! Des carrossiers qui ont quarante mille livres de rentes![7] Des carrossiers qui ont voiture![8] Quel siècle! Tandis que moi, je gagne deux 15
mille quatre cents francs[9]... un employé laborieux, intelligent, toujours courbé sur son bureau... Aujourd'hui, j'ai demandé un congé... j'ai dit que j'étais de garde[10]... Il faut absolument que je voie Perrichon avant son départ... je veux le prier de m'avancer mon trimestre... six cents 20
francs! Il va prendre[11] son air protecteur... faire l'important!... un carrossier! ça fait pitié! Il n'arrive toujours[12] pas! on dirait qu'il le fait exprès! (*S'adressant à un facteur qui passe suivi de voyageurs.*) Monsieur... à quelle heure part le train direct[13] pour Lyon?... 25

3

LE FACTEUR, *brusquement.*   Demandez à l'employé.   (*Il sort par la gauche.*)

MAJORIN.   Merci . . . manant ! [1]   (*S'adressant à l'employé qui est près du guichet.*)   Monsieur, à quelle heure part le
5 train direct pour Lyon ? . . .

L'EMPLOYÉ, *brusquement.*   Ça ne me regarde pas ! voyez l'affiche.[2]   (*Il désigne une affiche à la cantonade à gauche.*)

MAJORIN.   Merci . . . (*A part.*)   Ils sont polis dans ces administrations ! [3]   Si jamais tu viens à mon bureau, toi ! . . .
10 Voyons l'affiche . . . (*Il sort à gauche.*)

SCÈNE II

L'EMPLOYÉ, PERRICHON, MADAME PERRICHON, HENRIETTE.
(*Ils entrent de la droite.*)

PERRICHON.   Par ici ! . . . ne nous quittons pas ! nous ne pourrions plus nous retrouver . . . Où sont nos bagages ?
15 . . . (*Regardant à droite ; à la cantonade.*)   Ah ! très bien !   Qui est-ce qui a les parapluies ? . . .

HENRIETTE.   Moi, papa.

PERRICHON.   Et le sac de nuit ? . . . les manteaux ? . . .

MADAME PERRICHON.   Les voici !

20 PERRICHON.   Et mon panama ? . . . Il est resté dans le fiacre ! (*Faisant un mouvement pour sortir et s'arrêtant.*) Ah ! non ! je l'ai à la main ! . . . Dieu, que j'ai chaud !

MADAME PERRICHON.   C'est ta faute ! . . . tu nous presses, tu nous bouscules[4] ! . . . je n'aime pas à voyager comme ça !
25 PERRICHON.   C'est le départ qui est laborieux . . . une fois que nous serons casés ! [5] . . . Restez là, je vais prendre les billets . . . (*Donnant son chapeau à Henriette.*)   Tiens, garde-moi mon panama . . . (*Au guichet.*)   Trois premières[6] pour Lyon ? . . .

L'Employé, *brusquement.* Ce n'est pas ouvert! Dans un quart d'heure!

Perrichon, *à l'employé.* Ah! pardon! c'est la première fois que je voyage... (*Revenant à sa femme.*) <u>Nous sommes en avance.</u> 5

Madame Perrichon. Là! quand je¹ te disais que nous avions le temps... Tu ne nous as pas laissé déjeuner!

Perrichon. <u>Il vaut mieux être en avance!</u>... on examine la gare!² (*A Henriette.*) Eh bien! petite fille, es-tu contente?... <u>Nous voilà partis!</u>³... encore quelques 10 minutes, et rapides comme la flèche de Guillaume Tell, nous nous élancerons vers les Alpes! (*A sa femme.*) Tu as pris la lorgnette?

Madame Perrichon. Mais, oui!

Henriette, *à son père.* Sans reproches, voilà au moins 15 deux ans que tu nous promets ce voyage.

Perrichon. Ma fille, il fallait que j'eusse vendu mon fonds⁴... Un commerçant ne se retire pas aussi facilement des affaires qu'une petite fille de son pensionnat... D'ailleurs, j'attendais que ton éducation fût terminée pour la 20 compléter en faisant rayonner devant toi le grand spectacle de la nature!

Madame Perrichon. Ah çà!⁵ est-ce que vous allez continuer comme ça?...

Perrichon. Quoi?... 25

Madame Perrichon. Vous faites des phrases⁶ dans une gare!

Perrichon. Je ne fais pas de phrases... j'élève les idées de l'enfant. (*Tirant de sa poche un petit carnet.*) Tiens, ma fille, voici un carnet que j'ai acheté pour toi. 30

Henriette. <u>Pourquoi faire?</u>⁷...

PERRICHON.   Pour écrire d'un côté la dépense, et de l'autre les impressions.

HENRIETTE.   Quelles impressions? . . .

PERRICHON.   Nos impressions de voyage! Tu écriras, et
5 moi je dicterai.

MADAME PERRICHON.   Comment! vous allez vous faire auteur à présent?

PERRICHON.   Il ne s'agit pas de me faire auteur . . . mais il me semble qu'un homme du monde[1] peut avoir des
10 pensées et les recueillir sur un carnet!

MADAME PERRICHON.   Ce sera bien joli![2]

PERRICHON, *à part.*   Elle est comme ça, chaque fois qu'elle n'a pas pris son café!

UN FACTEUR, *poussant un petit chariot chargé de bagages.*
15 Monsieur, voici vos bagages.   Voulez-vous les faire enregistrer?[3] . . .

PERRICHON.   Certainement! Mais avant, je vais les compter . . . parce que, quand on sait son compte . . . Un, deux, trois, quatre, cinq, six, ma femme, sept, ma fille, huit,
20 et moi, neuf.   Nous sommes neuf.

LE FACTEUR.   Enlevez![4]

PERRICHON, *courant vers le fond.*   Dépêchons-nous!

LE FACTEUR.   Pas par là,[5] c'est par ici! (*Il indique la gauche.*)
25 PERRICHON.   Ah! très bien! (*Aux femmes.*)   Attendez-moi là! . . . ne nous perdons pas! (*Il sort en courant, suivant le facteur.*)

SCÈNE III

MADAME PERRICHON, HENRIETTE, *puis* DANIEL.

HENRIETTE.   Pauvre père! quelle peine il se donne!
30 MADAME PERRICHON.   Il est comme un ahuri![6]

DANIEL, *entrant suivi d'un commissionnaire qui porte sa malle.* Je ne sais pas encore où je vais, attendez ! (*Apercevant Henriette.*) C'est elle ! je ne me suis pas trompé ! (*Il salue Henriette qui lui rend son salut.*)

MADAME PERRICHON, *à sa fille.* Quel est ce monsieur ?... 5

HENRIETTE. C'est un jeune homme qui m'a fait danser [1] la semaine dernière au bal du huitième arrondissement.[2]

MADAME PERRICHON, *vivement.* Un danseur ! (*Elle salue Daniel.*)

DANIEL. Madame ! ... mademoiselle ! ... je bénis le 10 hasard ... Ces dames vont partir ? ...

MADAME PERRICHON. Oui, monsieur !

DANIEL. Ces dames vont [3] à Marseille, sans doute ? ...

MADAME PERRICHON. Non, monsieur.

DANIEL. A Nice,[4] peut-être ? ... 15

MADAME PERRICHON. Non, monsieur !

DANIEL. Pardon, madame ... je croyais ... si mes services ...

LE FACTEUR *à Daniel.* Bourgeois ! [5] vous n'avez que le temps pour vos bagages. 20

DANIEL. C'est juste ! allons ! (*A part.*) J'aurais voulu savoir où elles vont ... avant de prendre [6] mon billet. ... (*Saluant.*) Madame ... mademoiselle... (*A part.*) Elles partent, c'est le principal ! (*Il sort par la gauche.*)

SCÈNE IV

MADAME PERRICHON, HENRIETTE, *puis* ARMAND. 25

MADAME PERRICHON. Il est très bien,[7] ce jeune homme !

ARMAND, *tenant un sac de nuit.* Portez ma malle aux bagages ... je vous rejoins ! (*Apercevant Henriette.*) C'est elle ! (*Ils se saluent.*)

MADAME PERRICHON. Quel est ce monsieur? . . .

HENRIETTE. C'est encore un jeune homme qui m'a fait danser au bal du huitième arrondissement.

MADAME PERRICHON. Ah çà ! [1] ils se sont donc tous
5 donné rendez-vous ici? . . . n'importe, c'est un danseur !
(*Saluant.*) Monsieur . . .

ARMAND. Madame . . . mademoiselle . . . je bénis le hasard. . . Ces dames vont partir?

MADAME PERRICHON. Oui, monsieur.

10 ARMAND. Ces dames vont à Marseille, sans doute? . . .

MADAME PERRICHON. Non, monsieur.

ARMAND. A Nice, peut-être? . . .

MADAME PERRICHON, *à part*. Tiens, comme l'autre !
(*Haut.*) Non, monsieur !

15 ARMAND. Pardon, madame, je croyais . . . .si mes services . . .

MADAME PERRICHON, *à part*. Après ça ! ils sont du même arrondissement.

ARMAND, *à part*. Je ne suis pas plus avancé . . . je vais
20 faire enregistrer ma malle . . . je reviendrai ! (*Saluant.*)
Madame . . . mademoiselle. . .

SCÈNE V

MADAME PERRICHON, HENRIETTE, MAJORIN, *puis* PERRICHON.

MADAME PERRICHON. Il est très bien, ce jeune homme ! . . .
Mais que fait ton père? les jambes [2] me rentrent dans le
25 corps !

MAJORIN, *entrant de la gauche*. Je me suis trompé, ce
train ne part que dans une heure !

HENRIETTE Tiens ! monsieur Majorin !

MAJORIN, *à part.* Enfin! les voici!

MADAME PERRICHON. Vous! comment n'êtes-vous pas à votre bureau?...

MAJORIN. J'ai demandé un congé, belle dame;[1] je ne voulais pas vous laisser partir sans vous faire mes adieux! 5

MADAME PERRICHON. Comment! c'est pour cela que vous êtes venu! ah! que c'est aimable!

MAJORIN. Mais je ne vois pas Perrichon!

HENRIETTE. Papa s'occupe des bagages.

PERRICHON, *entrant en courant à la cantonade.* Les 10 billets d'abord! très bien!

MAJORIN. Ah! le voici! Bonjour cher ami!

PERRICHON, *très pressé.* Ah! c'est toi! tu es bien gentil d'être venu!... Pardon, il faut que je prenne mes billets! (*Il le quitte.*) 15

MAJORIN, *à part.* Il est poli!

PERRICHON, *à l'employé au guichet.* Monsieur, on ne veut pas enregistrer mes bagages avant que je n'aie pris mes billets?

L'EMPLOYÉ. Ce n'est pas ouvert! attendez! 20

PERRICHON. Attendez! et là-bas,[2] ils m'ont dit: Dépêchez-vous! (*S'essuyant le front.*) Je suis en nage![3]

MADAME PERRICHON. Et moi, je ne tiens plus sur mes jambes!

PERRICHON. Eh bien, asseyez-vous! (*Indiquant le fond* 25 *à gauche.*) Voilà des bancs... vous êtes bonnes[4] de rester plantées là comme deux factionnaires.

MADAME PERRICHON. C'est toi-même qui nous as dit: restez-là! tu n'en finis pas![5] tu es insupportable!

PERRICHON. Voyons,[6] Caroline! 30

MADAME PERRICHON. Ton voyage! j'en ai déjà assez!

PERRICHON.   On voit bien que tu n'as pas pris ton café !
Tiens, va t'asseoir !

MADAME PERRICHON.   Oui ! mais dépêche-toi !   (*Elle
va s'asseoir avec Henriette.*)

SCÈNE VI

PERRICHON, MAJORIN.

MAJORIN, *à part.*   Joli petit ménage !

PERRICHON, *à Majorin.*   C'est toujours comme ça quand
elle n'a pas pris son café. . . Ce bon Majorin ! c'est bien
gentil à toi d'être venu !

MAJORIN.   Oui, je voulais te parler d'une petite affaire.

PERRICHON, *distrait.*   Et mes bagages qui sont restés là-
bas sur une table [1] . . . Je suis inquiet !   (*Haut.*)   Ce bon
Majorin ! c'est bien gentil à toi d'être venu ! . . . (*A part.*)
Si j'y allais ! [2] . . .

MAJORIN.   J'ai un petit service à te demander.

PERRICHON.   A moi ? . . .

MAJORIN.   J'ai déménagé . . . et si tu voulais m'avancer
un trimestre de mes appointements . . . six cents francs !

PERRICHON.   Comment ! ici ? . . .

MAJORIN.   Je crois t'avoir toujours rendu exactement
l'argent que tu m'as prêté.

PERRICHON.   Il ne s'agit pas de ça !

MAJORIN.   Pardon ! je tiens à le constater. . . Je touche
mon dividende des paquebots le huit du mois prochain ; j'ai
douze actions . . . et si tu n'as pas confiance en moi, je te
remettrai les titres en garantie. [3]

PERRICHON.   Allons donc ! es-tu bête ! [4]

MAJORIN, *sèchement.*   Merci !

PERRICHON. Pourquoi diable aussi [1] viens-tu me demander ça au moment où je pars?... j'ai pris juste l'argent nécessaire à mon voyage.

MAJORIN. Après ça,[2] si ça te gêne ... n'en parlons plus. Je m'adresserai à des usuriers qui me prendront cinq pour cent [3] par an... je n'en mourrai pas !

PERRICHON, *tirant son porte-feuille*. Voyons, ne te fâche pas !... tiens, les voilà tes six cents francs, mais n'en parle pas à ma femme.

MAJORIN, *prenant les billets*. Je comprends ! elle est si avare ! [4]

PERRICHON. Comment ! avare?...

MAJORIN. Je veux dire qu'elle a de l'ordre !

PERRICHON. Il faut ça,[5] mon ami !... il faut ça !

MAJORIN, *sèchement*. Allons ! c'est six cents francs que je te dois... adieu ! (*A part.*) Que d'histoires ! [6] pour six cents francs !... et ça [7] va en Suisse !... Carrossier !...
(*Il disparaît à droite.*)

PERRICHON. Eh bien ! il part ! il ne m'a seulement pas dit merci ! mais au fond, je crois qu'il m'aime ! (*Apercevant le guichet ouvert.*) Ah ! sapristi ! [8] on distribue les billets !
(*Il se précipite vers la balustrade et bouscule cinq à six personnes qui font la queue.*)

UN VOYAGEUR. Faites donc attention, monsieur !

L'EMPLOYÉ, *à Perrichon*. Prenez votre tour, vous ! là-bas !

PERRICHON *à part*. Et mes bagages !... et ma femme !...
(*Il se met à la queue.*)

SCÈNE VII

LES MÊMES, LE COMMANDANT *suivi de* JOSEPH, *qui porte sa valise.*

LE COMMANDANT.   Tu m'entends bien !

JOSEPH.   Oui, mon commandant.[1]

5   LE COMMANDANT.   Et si elle demande où je suis? . .
quand je reviendrai? tu répondras que tu n'en sais rien . .
Je ne veux plus entendre parler d'elle.

JOSEPH.   Oui, mon commandant.

LE COMMANDANT.   Tu diras à Anita que tout est fini . .
10 bien fini. . .

JOSEPH.   Oui, mon commandant.

PERRICHON.   J'ai mes billets ! . . . vite ! à mes bagages !
Quel métier que [2] d'aller à Lyon !   (*Il sort en courant.*)

LE COMMANDANT.   Tu m'as bien compris?

15   JOSEPH.   Sauf votre respect, mon commandant, c'est bien
inutile de partir.

LE COMMANDANT.   Pourquoi? . . .

JOSEPH.   Parce qu'à son retour, mon commandant re-
prendra mademoiselle Anita.

20   LE COMMANDANT.   Oh !

JOSEPH.   Alors, autant vaudrait [3] ne pas la quitter; les
raccommodements coûtent toujours quelque chose à mon
commandant.

LE COMMANDANT.   Ah ! cette fois, c'est sérieux !   A mon
25 retour, j'arrangerai toutes mes affaires . . . adieu !

JOSEPH.   Adieu, mon commandant.

LE COMMANDANT *s'approche du guichet et revient.*   Ah !
tu m'écriras à Genève, poste restante [4] . . . tu me donneras
des nouvelles de ta santé. . .

Joseph, *flatté*.   Mon commandant est bien bon !

Le Commandant.   Et puis, tu me diras si l'on a eu du chagrin en apprenant mon départ . . . si l'on a pleuré. . .

Joseph.   Qui ça,[1] mon commandant? . . .

Le Commandant.   Eh parbleu![2] elle ! Anita !   5

Joseph.   Vous la reprendrez, mon commandant !

Le Commandant.   Jamais !

Joseph.   Ça fera la huitième fois. Ça me fait de la peine...

Le Commandant.   Allons, c'est bien ![3] donne-moi ma valise? et écris-moi à Genève. . . demain ou ce soir ! bon 10 jour !

Joseph.   Bon voyage, mon commandant ! (*A part.*) Il sera revenu avant huit jours ! O les femmes ! et les hommes ! . . . (*Il sort. — Le Commandant va prendre son billet et entre dans la salle d'attente.*)   15

SCÈNE VIII

Madame Perrichon, Henriette, *puis* Perrichon,
un Facteur.

Madame Perrichon, *se levant avec sa fille*. Je suis lasse d'être assise !

Perrichon, *entrant en courant*. Enfin ! c'est fini ! j'ai 20 mon bulletin[4] ! je suis enregistré !

Madame Perrichon.   Ce n'est pas malheureux !

Le Facteur, *poussant son chariot vide, à Perrichon.* Monsieur . . . n'oubliez pas le facteur, s'il vous plaît. . .

Perrichon.   Ah ! oui . . . Attendez . . . (*Se concertant* 25 *avec sa femme et sa fille.*) Qu'est-ce qu'il faut lui donner à celui-là,[5] dix sous? . . .

Madame Perrichon.   Quinze

HENRIETTE. Vingt.

PERRICHON. Allons . . . va pour[1] vingt sous ! (*Les lui donnant.*) Tenez, mon garçon.

LE FACTEUR. Merci, monsieur ! (*Il sort.*)

5 MADAME PERRICHON. Entrons-nous ?

PERRICHON. Un instant . . . Henriette, prends ton carnet et écris.

MADAME PERRICHON. Déjà !

PERRICHON, *dictant.* Dépenses : fiacre deux francs . . .
10 chemin de fer, cent soixante-douze francs cinq centimes . . . facteur, un franc.

HENRIETTE. C'est fait !

PERRICHON. Attends ! impression !

MADAME PERRICHON, *à part.* Il est insupportable !

15 PERRICHON, *dictant.* Adieu, France . . . reine des nations ! (*S'interrompant.*) Eh bien ! et mon panama ? . . . je l'aurai laissé[2] aux bagages ! (*Il veut courir.*)

MADAME PERRICHON. Mais non ! le voici !

PERRICHON. Ah ! oui ! (*Dictant.*) Adieu, France ! reine
20 des nations ! (*On entend la cloche et l'on voit accourir plusieurs voyageurs.*)

MADAME PERRICHON. Le signal ! tu vas nous faire manquer le convoi ![3]

PERRICHON. Entrons, nous finirons cela plus tard !
25 (*L'employé l'arrête à la barrière pour voir les billets. Perrichon querelle[4] sa femme, et sa fille finit par trouver les billets dans sa poche. Ils entrent dans la salle d'attente.*)

SCÈNE IX

ARMAND, DANIEL *puis* PERRICHON.

(Daniel, qui vient de prendre son billet, est heurté par Armand qui veut prendre le sien.)

ARMAND.   Prenez donc garde !

DANIEL.   Faites attention vous-même !

ARMAND.   Daniel !

DANIEL.   Armand !

ARMAND.   Vous partez ? . . .

DANIEL.   A l'instant ! et vous ? . . .

ARMAND.   Moi aussi !   10

DANIEL.   C'est charmant ! nous ferons route ensemble !
J'ai des cigares de première classe . . . et où allez-vous ?

ARMAND.   Ma foi, mon cher ami, je n'en sais rien encore.

DANIEL.   Tiens ! c'est bizarre ! ni moi non plus ! J'ai
pris un billet jusqu'à Lyon.   15

ARMAND.   Vraiment ! moi aussi ! je me dispose [2] à suivre
une demoiselle charmante.

DANIEL.   Tiens ! moi aussi.

ARMAND.   La fille d'un carrossier !

DANIEL.   Perrichon ?   20

ARMAND.   Perrichon !

DANIEL.   C'est la même !

ARMAND.   Mais je l'aime, mon cher Daniel.

DANIEL.   Je l'aime également, mon cher Armand.

ARMAND.   Je veux l'épouser !   25

DANIEL.   Moi, je veux la demander [3] en mariage, . . . ce
qui est à peu près la même chose.

ARMAND.   Mais nous ne pouvons l'épouser tous les deux !

DANIEL.   En France, c'est défendu !

ARMAND.   Que faire? . . .

DANIEL.   C'est bien simple! puisque nous sommes sur le marchepied du wagon, continuons gaiement notre voyage . . . cherchons à plaire . . . à nous faire aimer, chacun de notre
5 côté!

ARMAND, *riant*.   Alors, c'est un concours! . . . un tournoi? . . .

DANIEL.   Une lutte loyale . . . et amicale . . . Si vous êtes vainqueur . . . je m'inclinerai . . . si je l'emporte, vous
10 ne me tiendrez pas rancune.[1]   Est-ce dit?

ARMAND.   Soit! j'accepte.

DANIEL.   La main, avant la bataille?

ARMAND.   Et la main après.   (*Ils se donnent la main.*)

PERRICHON, *entrant en courant, à la cantonade*.   Je te
15 dis que j'ai le temps!

DANIEL.   Tiens! notre beau-père!

PERRICHON, *à la marchande de livres*.   Madame, je voudrais un livre pour ma femme et ma fille . . . un livre qui ne parle ni de galanterie, ni d'argent, ni de politique, ni de
20 mariage, ni de mort.

DANIEL, *à part*.   Robinson Crusoé!

LA MARCHANDE.   Monsieur, j'ai votre affaire.[2]   (*Elle lui remet un volume.*)

PERRICHON, *lisant*.   *Les Bords de la Saône:* deux francs!
25 (*Payant.*)   Vous me jurez qu'il n'y a pas de bêtises là-dedans?   (*On entend la cloche.*)   Ah diable!   Bonjour, madame.   (*Il sort en courant.*)

ARMAND.   Suivons-le?

DANIEL.   Suivons!   C'est égal, je voudrais bien savoir
30 où nous allons? . . .

(*On voit courir plusieurs voyageurs. — Tableau.*[3])

ACTE DEUXIÈME

Un intérieur d'auberge [1] au Montanvert, près de la mer de Glace. — Au fond, à droite, porte d'entrée; au fond, à gauche, fenêtre; vue de montagnes couvertes de neige; à gauche, porte et cheminée haute.[2] — Table; à droite, table où est le livre des voyageurs,[3] et porte.

SCÈNE I

ARMAND, DANIEL, L'AUBERGISTE, UN GUIDE. *Daniel et* 5 *Armand sont assis à une table, et déjeunent.*

L'AUBERGISTE.   Ces messieurs prendront-ils autre chose?

DANIEL.   Tout à l'heure [4] . . . du café . . .

ARMAND.   Faites manger le guide; [5] après nous partirons pour la mer de Glace.   10

L'AUBERGISTE.   Venez, guide. (*Il sort, suivi du guide, par la droite.*)

DANIEL.   Eh bien ! mon cher Armand?.

ARMAND.   Eh bien ! mon cher Daniel?

DANIEL.   Les opérations sont engagées, nous avons com- 15 mencé l'attaque.

ARMAND.   Notre premier soin a été de nous introduire dans le même wagon que la famille Perrichon; le papa avait déjà mis sa calotte.   20

DANIEL.   Nous les avons bombardés de prévenances,[6] de petits soins.

ARMAND.   Vous avez prêté votre journal à monsieur Perrichon, qui a dormi dessus [7] . . . En échange, il vous a offert *les Bords de la Saône* . . . un livre avec des images.[8] 25

DANIEL.   Et vous, à partir de Dijon, vous avez tenu un

store ¹ dont la mécanique était dérangée ; ça a dû vous fatiguer.

ARMAND.   Oui, mais la maman m'a comblé ² de pastilles de chocolat.

5   DANIEL.   Gourmand ! . . . vous vous êtes fait nourrir.³

ARMAND.   A Lyon, nous descendons au même hôtel. . .

DANIEL.   Et le papa, en nous retrouvant, s'écrie : Ah ! quel heureux hasard ! . . .

ARMAND.   A Genève, même rencontre . . . imprévue. . .

10   DANIEL.   A Chamouny,⁴ même situation ; et le Perrichon ⁵ de s'écrier toujours ⁶ : Ah ! quel heureux hasard !

ARMAND.   Hier soir, vous apprenez que la famille se dispose à venir voir la mer de Glace, et vous venez me chercher dans ma chambre . . . dès l'aurore . . . c'est un 15 trait de gentilhomme !

DANIEL.   C'est dans notre programme . . . lutte loyale ! . . . Voulez-vous de l'omelette ?

ARMAND.   Merci . . . Mon cher, je dois vous prévenir . . . loyalement, que de Châlon ⁷ à Lyon, mademoiselle Perrichon 20 m'a regardé trois fois.

DANIEL.   Et moi, quatre !

ARMAND.   Diable ! ⁸ c'est sérieux !

DANIEL.   Ça le sera bien davantage quand elle ne nous regardera ⁹ plus . . . Je crois qu'en ce moment elle nous 25 préfère tous les deux . . . ça peut durer longtemps comme ça ; heureusement nous sommes gens de loisir.

ARMAND.   Ah çà ! ¹⁰ expliquez-moi comment vous avez pu vous éloigner de Paris, étant le gérant d'une société de paquebots ? ¹¹ . . .

30   DANIEL.   *Les Remorqueurs* sur la Seine . . . capital ¹² social, deux millions.   C'est bien simple ; je me suis demandé ¹³

un petit congé, et je n'ai pas hésité à me l'accorder . . . J'ai
de bons employés ; les paquebots vont tout seuls,[1] et pourvu
que je sois à Paris le huit du mois prochain pour le
paiement du dividende . . . Ah çà ! et vous ? . . . un banquier . . . Il me semble que vous pérégrinez[2] beaucoup ?   5

ARMAND.   Oh ! ma maison de banque ne m'occupe
guère . . . J'ai associé mes capitaux en réservant la liberté
de ma personne, je suis banquier. . .

DANIEL.   Amateur !

ARMAND.   Je n'ai, comme vous, affaire à Paris que vers le   10
huit du mois prochain.

DANIEL.   Et d'ici-là[3] nous allons nous faire une guerre à
outrance[4] . . .

ARMAND.   A outrance ! comme deux bons amis . . . J'ai
eu un moment la pensée de vous céder la place ; mais   15
j'aime sérieusement Henriette . . .

DANIEL.   C'est singulier . . . je voulais vous faire le même
sacrifice . . . sans rire . . . A Châlon, j'avais envie de décamper,[5] mais je l'ai regardée.

ARMAND.   Elle est si jolie !   20

DANIEL.   Si douce !

ARMAND.   Si blonde !

DANIEL.   Il n'y a presque plus de blondes ; et des yeux !

ARMAND.   Comme nous les aimons.

DANIEL.   Alors je suis resté !   25

ARMAND.   Ah ! je vous comprends !

DANIEL.   A la bonne heure ! C'est un plaisir de vous
avoir pour ennemi ! (*Lui serrant la main.*) Cher Armand !

ARMAND, *de même*. Bon Daniel ! Ah çà ![6] monsieur
Perrichon n'arrive pas. Est-ce qu'il aurait[7] changé son   30
itinéraire ? si nous allions les perdre ?

DANIEL.   Diable ! c'est qu'il est[1] capricieux le bonhomme . . . Avant-hier il nous a envoyés nous promener à
Ferney[2] où nous comptions le retrouver . . .

ARMAND.   Et pendant ce temps, il était allé à Lauzanne.

5   DANIEL.   Eh bien, c'est drôle de voyager comme cela ![3]
(*Voyant Armand qui se lève.*)   Où allez-vous donc ?

ARMAND.   Je ne tiens pas en place,[4] j'ai envie d'aller au
devant de ces dames.

DANIEL.   Et le café ?

10   ARMAND.   Je n'en prendrai pas . . . au revoir ! (*Il sort
vivement par le fond.*)

SCÈNE II

DANIEL, *puis* L'AUBERGISTE, *puis* LE GUIDE.

DANIEL.   Quel excellent garçon ! c'est tout cœur, tout
feu . . . mais ça[5] ne sait pas vivre, il est parti sans prendre
15 son café ! (*Appelant.*)   Holà ! . . . monsieur l'aubergiste !

L'AUBERGISTE, *paraissant.*   Monsieur !

DANIEL.   Le café. (*L'Aubergiste sort. Daniel allume
un cigare.*)   Hier, j'ai voulu faire fumer le beau-père . . .
ça ne lui a pas réussi[6] . . .

20   L'AUBERGISTE, *apportant le café.*   Monsieur[7] est servi.

DANIEL, *s'asseyant derrière la table, devant la cheminée
et étendant une jambe sur la chaise d'Armand.*   Approchez
cette chaise . . . très bien . . . (*Il a désigné une autre chaise.
Il y étend l'autre jambe.*)   Merci ! . . . Ce pauvre Armand !
25 il court sur la grande route, lui, en plein soleil . . . et moi,
je m'étends ! Qui arrivera le premier de nous deux ? nous
avons la fable du *Lièvre et de la Tortue.*[8]

L'AUBERGISTE, *lui présentant un registre.*   Monsieur veut-il
écrire quelque chose sur le livre des voyageurs ?

DANIEL.   Moi? . . . je n'écris jamais après mes repas, rarement avant. . .   Voyons les pensées délicates et ingénieuses des visiteurs.   (*Il feuillète le livre, lisant.*)   "Je ne me suis jamais mouché si haut!¹ . . . Signé : Un voyageur enrhumé . . ."   (*Il continue à feuilleter.*)   Oh!   5 la belle écriture.   (*Lisant.*)   "Qu'il est beau d'admirer les splendeurs de la nature, entouré de sa femme et de sa nièce!. . . Signé : Malaquais,² rentier . . ."   Je me suis toujours demandé pourquoi les Français, si spirituels chez eux, sont si bêtes en voyage ! (*Cris et tumulte en dehors.*)   10

L'AUBERGISTE.   Ah ! mon Dieu !

DANIEL.   Qu'y a-t-il?

SCÈNE III

DANIEL, PERRICHON, ARMAND, MADAME PERRICHON, HENRIETTE, L'AUBERGISTE.

(*Perrichon entre, soutenu par sa femme et le guide.*)   15

ARMAND.   Vite, de l'eau ! du sel !³ du vinaigre !

DANIEL.   Qu'est-il donc arrivé?

HENRIETTE.   Mon père a manqué de se tuer !

DANIEL.   Est-il possible?

PERRICHON, *assis*.   Ma femme ! . . . ma fille ! . . . Ah ! je   20 me sens mieux ! . . .

HENRIETTE, *lui présentant un verre d'eau sucrée.*⁴   Tiens ! . . . bois ! . . . ça te remettra. .

PERRICHON.   Merci . . . quelle culbute ! (*Il boit.*)

MADAME PERRICHON.   C'est ta faute aussi . . . vouloir   25 monter à cheval, un père de famille . . . et avec des éperons encore !

PERRICHON.   Les éperons n'y sont pour rien⁵ . . . c'est la bête qui est ombrageuse.

MADAME PERRICHON.   Tu l'auras piquée sans le vouloir,
elle s'est cabrée. . .

HENRIETTE.   Et sans monsieur Armand qui venait d'arriver . . . mon père disparaissait dans un précipice. . .

5   MADAME PERRICHON.   Il y était déjà . . . je le voyais
rouler comme une boule . . . nous poussions des cris ! . . .

HENRIETTE.   Alors, monsieur s'est élancé ! . . .

MADAME PERRICHON.   Avec un courage, un sang-froid ! . . .
Vous êtes notre sauveur . . . car sans vous mon mari . .
10 mon pauvre ami. . . (*Elle éclate en sanglots.*)

ARMAND.   Il n'y a plus de danger . . . calmez-vous !

MADAME PERRICHON, *pleurant toujours.*   Non ! ça me fait
du bien ! (*A son mari.*) Ça t'apprendra à mettre des
éperons. (*Sanglotant plus fort.*) Tu n'aimes pas ta famille.

15   HENRIETTE, *à Armand.*   Permettez-moi d'ajouter mes
remercîments à ceux de ma mère, je garderai toute ma vie le
souvenir de cette journée . . . toute ma vie ! . . .

ARMAND.   Ah ! mademoiselle !

PERRICHON, *à part.*   A mon tour ! monsieur Armand ! . . .
20 non, laissez-moi vous appeler Armand !

ARMAND.   Comment donc ! [1]

PERRICHON.   Armand . . . donnez-moi la main. . .   Je ne
sais pas faire de phrase,[2] moi . . . mais tant qu'il battra, vous
aurez une place dans le cœur de Perrichon ! (*Lui serrant
25 la main.*)   Je ne vous dis que cela !

MADAME PERRICHON.   Merci ! . . . monsieur Armand !

HENRIETTE.   Merci, monsieur Armand !

ARMAND.   Mademoiselle Henriette !

DANIEL, *à part.*   Je commence à croire que j'ai eu tort de
30 prendre mon café !

MADAME PERRICHON, *à l'aubergiste.*   Vous ferez reconduire le cheval, nous retournerons tous en voiture. . .

PERRICHON, *se levant.* Mais je t'assure, ma chère amie, que je suis assez bon cavalier. . . (*Poussant un cri.*) Aïe !

TOUS. Quoi ?

PERRICHON. Rien ! . . . les reins ! [1] Vous ferez reconduire le cheval !   5

MADAME PERRICHON. Viens te reposer un moment ; au revoir, monsieur Armand !

HENRIETTE. Au revoir, monsieur Armand !

PERRICHON, *serrant énergiquement la main d'Armand.* A bientôt. . . Armand ! (*Poussant un second cri.*) Aïe ! . . . j'ai trop serré ! (*Il entre à gauche suivi de sa femme et de sa fille.*)

SCÈNE IV

ARMAND, DANIEL.

ARMAND. Qu'est-ce que vous dites de cela, mon cher Daniel ?   15

DANIEL. Que voulez-vous ? c'est de la veine ! [2] . . . vous sauvez le père, vous cultivez le précipice,[3] ce n'était pas dans le programme !

ARMAND. C'est bien le hasard. . .

DANIEL. Le papa vous appelle Armand, la mère pleure et 20 la fille vous décoche [4] des phrases bien senties [5] . . . em- pruntées aux plus belles pages de monsieur Bouilly [6] . . . Je suis vaincu, c'est clair ! et je n'ai plus qu'à vous céder la place. . .

ARMAND. Allons donc ! vous plaisantez. . .   25

DANIEL. Je plaisante si peu que, dès ce soir, je pars pour Paris. . .

ARMAND. Comment ?

DANIEL.   Où vous retrouverez un ami . . . qui vous souhaite bonne chance ! [1]

ARMAND.   Vous partez ! ah ! merci !

DANIEL.   Voilà un cri du cœur !

5   ARMAND.   Ah ! pardon ! je le retire ! . . . après le sacrifice que vous me faites. . .

DANIEL.   Moi ? entendons-nous bien . . . je ne vous fais pas le plus léger sacrifice. Si je me retire, c'est que je ne crois avoir aucune chance de réussir ; car, maintenant 10 encore, s'il s'en présentait une . . . même petite, je resterais.

ARMAND.   Ah !

DANIEL.   Est-ce singulier ! Depuis qu'Henriette m'échappe, il me semble que je l'aime davantage.

ARMAND.   Je comprends cela . . . aussi, je ne vous demanderai 15 pas le service que je voulais vous demander . . .

DANIEL.   Quoi donc ?

ARMAND.   Non, rien . . .

DANIEL.   Parlez . . . je vous en prie.

ARMAND.   J'avais songé . . . puisque vous partez, à vous 20 prier de voir monsieur Perrichon, de lui toucher [2] quelques mots de ma position, de mes espérances.[3]

DANIEL.   Ah ! diable ! [4]

ARMAND.   Je ne puis le faire moi-même . . . j'aurais l'air de réclamer le prix du service que je viens de lui rendre.

25   DANIEL.   Enfin, vous me priez de faire la demande pour vous ? Savez-vous que c'est original ce que vous me demandez là ?

ARMAND.   Vous refusez ? . . .

DANIEL.   Ah ! Armand ! j'accepte !

30   ARMAND.   Mon ami !

DANIEL.   Avouez que je suis un bien bon [5] petit rival, un

rival qui fait la demande.   (*Voix de Perrichon dans la coulisse.*) j'entends le beau-père ! Allez fumer un cigare et revenez !

ARMAND.   Vraiment ! je ne sais comment vous remercier...

DANIEL.   Soyez tranquille, je vais [1] faire vibrer chez lui la
corde de la reconnaissance.   (*Armand sort par le fond.*)   5

SCÈNE V

DANIEL, PERRICHON, *puis* L'AUBERGISTE.

PERRICHON, *entrant et parlant à la cantonade.* Mais
certainement il m'a sauvé ! certainement il m'a sauvé, et,
tant qu'il battra, le cœur de Perrichon ... je lui ai dit ...

DANIEL.   Eh bien ! monsieur Perrichon ... vous sentez- 10
vous mieux ?

PERRICHON.   Ah ! je suis tout à fait remis ... je viens de
boire trois gouttes de rhum dans un verre d'eau, et dans un
quart d'heure, je compte gambader sur la mer de Glace.
Tiens, votre ami n'est plus là ?   15

DANIEL.   Il vient de sortir.

PERRICHON.   C'est un brave jeune homme ... ces dames
l'aiment beaucoup.

DANIEL.   Oh ! quand elles le connaîtront davantage ! ...
un cœur d'or ! obligeant, dévoué, et d'une modestie !   20

PERRICHON.   Oh ! c'est rare.

DANIEL.   Et puis il est banquier ... c'est un banquier ! ...

PERRICHON.   Ah !

DANIEL.   Associé de la maison Turneps, Desroches et Cie..
dites donc. C'est assez flatteur d'être repêché [2] par un 25
banquier ... car, enfin,[3] il vous a sauvé ! .... Hein? ...
sans lui ! ...

PERRICHON.   Certainement ... certainement. C'est très
gentil ce qu'il a fait là !

DANIEL, *étonné*.   Comment, gentil !

PERRICHON.   Est-ce que vous allez vouloir atténuer le mérite de son action ?

DANIEL.   Par exemple ! [1]

5   PERRICHON.   Ma reconnaissance ne finira qu'avec ma vie . . . ça ! . . . tant que le cœur de Perrichon battra. Mais, entre nous, le service qu'il m'a rendu n'est pas aussi grand que ma femme et ma fille veulent bien le dire.

DANIEL, *étonné*.   Ah ! bah ! [2]

10   PERRICHON.   Oui.   Elles se montent la tête.[3]   Mais, vous savez, les femmes . . .

DANIEL.   Cependant, quand Armand vous a arrêté, vous rouliez . . .

PERRICHON.   Je roulais, c'est vrai . . . mais avec une
15 présence d'esprit étonnante . . . J'avais aperçu un petit sapin après lequel j'allais me cramponner ; je le tenais déjà quand votre ami est arrivé.

DANIEL, *à part*.   Tiens, tiens ! vous allez voir qu'il s'est sauvé tout seul.[4]

20   PERRICHON.   Au reste, je ne lui sais pas moins gré de [5] sa bonne intention . . . Je compte le revoir . . . lui réitérer mes remercîments . . . je l'inviterai même cet hiver.

DANIEL, *à part*.   Une tasse de thé !

PERRICHON.   Il paraît que ce n'est pas la première fois
25 qu'un pareil accident arrive à cet endroit-là . . . c'est un mauvais pas . . . L'aubergiste vient de me raconter que, l'an dernier, un Russe . . . un prince . . . très bon cavalier ! . . . car ma femme a beau dire,[6] ça ne tient pas à mes éperons ! avait roulé dans le même trou.

30   DANIEL.   En vérité ?

PERRICHON.   Son guide l'a retiré . . . Vous voyez qu'on

s'en retire parfaitement.[1]   Eh bien ! le Russe lui a donné cent francs !

DANIEL.   C'est très bien payé ![2]

PERRICHON.   Je le crois bien ! . . . Pourtant c'est ce que ça vaut ![3] . . .

DANIEL.   Pas un sou de plus.   (*A part.*)   Oh ! mais je ne pars pas.

PERRICHON, *remontant.*   Ah çà ![4] ce guide n'arrive pas.

DANIEL.   Est-ce que ces dames sont prêtes ?

PERRICHON.   Non . . . elles ne viendront pas : vous comprenez ? mais je compte sur vous . . .

DANIEL.   Et sur Armand ?

PERRICHON.   S'il veut être des nôtres,[5] je ne refuserai certainement pas la compagnie de M. Desroches.

DANIEL, *à part.*   M. Desroches !   Encore un peu il va le prendre en grippe ![6]

L'AUBERGISTE, *entrant de la droite.*   Monsieur ! . . .

PERRICHON.   Eh bien ! ce guide ?

L'AUBERGISTE.   Il est à la porte . . . Voici vos chaussons.[7]

PERRICHON.   Ah ! oui ! il paraît qu'on glisse dans les crevasses[8] là-bas . . . et comme je ne veux avoir d'obligation à personne. . . .

L'AUBERGISTE, *lui présentant le registre.*   Monsieur écrit-il sur le livre des voyageurs ?

PERRICHON.   Certainement . . . mais je ne voudrais pas écrire quelque chose d'ordinaire . . . il me faudrait là . . . une pensée ! . . . une jolie pensée . . . (*Rendant le livre à l'aubergiste.*)   Je vais y rêver en mettant mes chaussons. (*A Daniel.*)   Je suis à vous dans la minute.   (*Il entre à droite, suivi de l'aubergiste.*)

30

SCENE VI

DANIEL, *puis* ARMAND.

DANIEL, *seul.* Ce carrossier est un trésor d'ingratitude.
Or, les trésors appartiennent à ceux qui les trouvent, article
716 du Code civil [1] . . .

5   ARMAND, *paraissant à la porte du fond.* Eh bien?

DANIEL, *à part.* Pauvre garçon !

ARMAND. L'avez-vous vu?

DANIEL. Oui.

ARMAND. Lui avez-vous parlé?

10   DANIEL. Je lui ai parlé.

ARMAND. Alors vous avez fait ma demande? . . .

DANIEL. Non.

ARMAND. Tiens ! pourquoi?

DANIEL. Nous nous sommes promis d'être francs vis-à-vis
15 l'un de l'autre. . . Eh bien ! mon cher Armand, je ne pars
plus, je continue la lutte.

ARMAND, *étonné.* Ah ! c'est différent ! . . . et peut-on
vous demander les motifs qui ont changé votre détermination?

20   DANIEL. Les motifs . . . j'en ai un puissant . . . je crois
réussir.

ARMAND. Vous?

DANIEL. Je compte prendre un autre chemin que le
vôtre et arriver plus vite.

25   ARMAND. C'est très bien . . . vous êtes dans votre
droit [2] . . .

DANIEL. Mais la lutte n'en continuera pas moins loyale
et amicale?

ARMAND. Oui.

DANIEL.   Voilà un oui un peu sec !

ARMAND.   Pardon. . . (*Lui tendant la main.*)   Daniel, je vous le promets. . .

DANIEL.   A la bonne heure ! (*Il remonte.*)

SCÈNE VII

LES MÊMES, PERRICHON, *puis* L'AUBERGISTE.   5

PERRICHON.   Je suis prêt . . . j'ai mis mes chaussons. . . Ah ! monsieur Armand.

ARMAND.   Vous sentez-vous remis de votre chute ?

PERRICHON.   Tout à fait ! ne parlons plus de ce petit accident . . . c'est oublié !   10

DANIEL, *à part.*   Oublié ! Il est plus vrai que la nature. . .

PERRICHON.   Nous partons pour la mer de Glace. . . êtes-vous des nôtres ?

ARMAND.   Je suis un peu fatigué . . . je vous demanderai la permission de rester. . .   15

PERRICHON, *avec empressement.*   Très volontiers ! ne vous gênez pas ! (*A l'aubergiste qui entre*). Ah ! monsieur l'aubergiste, donnez-moi le livre des voyageurs. (*Il s'assied à droite et écrit.*)

DANIEL, *à part.*   Il paraît qu'il a trouvé sa pensée . . . la 20 jolie pensée.

PERRICHON, *achevant d'écrire.*   Là . . . voilà ce que c'est ! [1] (*Lisant avec emphase*) " Que l'homme est petit quand on le contemple du haut de la *mère* de Glace ! "

DANIEL.   Sapristi ! [2] c'est fort !   25

ARMAND, *à part.*   Courtisan !

PERRICHON, *modestement.*   Ce n'est pas l'idée de tout le monde.

DANIEL, *à part.*   Ni l'orthographe ; il a écrit *mère, r è re !*

PERRICHON, *à l'aubergiste lui montrant le livre ouvert sur la table.*   Prenez garde ! c'est frais ! [1]

L'AUBERGISTE.   Le guide attend ces messieurs avec les bâtons ferrés.[2]

PERRICHON.   Allons ! en route !

DANIEL.   En route ! (*Daniel et Perrichon sortent suivis de l'aubergiste.*)

SCÈNE VIII

ARMAND, *puis* L'AUBERGISTE *et* LE COMMANDANT MATHIEU.

ARMAND.   Quel singulier revirement chez Daniel ! Ces dames sont là . . . elles ne peuvent tarder à sortir, je veux les voir · · · leur parler . . . (*S'asseyant vers la cheminée et prenant un journal.*) Je vais les attendre.

L'AUBERGISTE, *à la cantonade.*   Par ici, monsieur. . .

LE COMMANDANT, *entrant.*   Je ne reste qu'une minute . . . je repars à l'instant pour la mer de Glace. . . (*S'asseyant devant la table sur laquelle est resté le registre ouvert.*) Faites-moi servir un grog au kirsch,[3] je vous prie.

L'AUBERGISTE, *sortant à droite.*   Tout de suite, monsieur.

LE COMMANDANT, *apercevant le registre.*   Ah ! ah ! le livre des voyageurs ! voyons ? . . . (*Lisant.*) "Que l'homme est petit quand on le contemple du haut de la *mère* de Glace ! . . .'' signé Perrichon . . . *mère !* Voilà un monsieur qui mérite une leçon d'orthographe.

L'AUBERGISTE, *apportant le grog.*   Voici, monsieur.   (*Il le pose sur la table à gauche.*)

LE COMMANDANT, *tout en écrivant sur le registre.*   Ah ! monsieur l'Aubergiste. . .

L'Aubergiste.   Monsieur.

Le Commandant.   Vous n'auriez pas parmi les personnes
qui sont venues chez vous ce matin un voyageur du nom
d'Armand Desroches?

Armand.   Hein?... c'est moi, monsieur.   5

Le Commandant, *se levant.*   Vous, monsieur!... pardon.
(*A l'aubergiste.*) Laissez-nous. (*L'aubergiste sort.*) C'est
bien à monsieur Armand Desroches de la maison Turneps,
Desroches et Cie que j'ai l'honneur de parler?

Armand.   Oui, monsieur....   10

Le Commandant.   Je suis le commandant Mathieu. (*Il
s'assied à gauche et prend son grog.*)

Armand.   Ah! enchanté!... mais je ne crois pas avoir
l'avantage de vous connaître, commandant.

Le Commandant.   Vraiment? Alors je vous apprendrai   15
que vous me poursuivez[1] à outrance pour une lettre de
change que j'ai eu l'imprudence de mettre dans la circulation...

Armand.   Une lettre de change!

Le Commandant.   Vous avez même obtenu contre moi   20
une prise de corps.[2]

Armand.   C'est possible, commandant, mais ce n'est pas
moi, c'est la maison qui agit.

Le Commandant.   Aussi n'ai-je aucun ressentiment contre
vous... ni contre votre maison... seulement, je tenais[3] à   25
vous dire que je n'avais pas quitté Paris pour échapper aux
poursuites.

Armand.   Je n'en doute[4] pas.

Le Commandant.   Au contraire!... Dès que je serai
de retour à Paris, dans une quinzaine, avant peut-être... je   30
vous le ferai savoir et je vous serai infiniment obligé de me
faire mettre à Clichy[5]... le plus tôt possible!...

ARMAND.   Vous plaisantez, commandant...

LE COMMANDANT.   Pas le moins du monde!... Je vous
demande cela comme un service...

ARMAND.   J'avoue que je ne comprends pas...

5   LE COMMANDANT; *ils se lèvent.*   Mon Dieu! je suis moi-
même un peu embarrassé pour vous expliquer... Pardon,
êtes-vous garçon?[1]

ARMAND.   Oui, commandant.

LE COMMANDANT.   Oh! alors! je puis vous faire ma
10 confession... J'ai le malheur d'avoir une faiblesse... J'aime.

ARMAND.   Vous?

LE COMMANDANT.   C'est bien ridicule à mon âge, n'est-
ce pas?

ARMAND.   Je ne dis pas ça.

15   LE COMMANDANT.   Oh! ne vous gênez pas![2] Je me suis
affolé d'une petite... qui me rit au nez!... je veux la
quitter, je pars, je fais deux cents lieues; j'arrive à la mer
de Glace... et je ne suis pas sûr de ne pas retourner ce
soir à Paris... C'est plus fort que moi!... L'amour à
20 cinquante ans... voyez-vous... c'est comme un rhumatisme, rien ne le guérit.

ARMAND, *riant.*   Commandant, je n'avais pas besoin de
cette confidence pour arrêter les poursuites... je vais
écrire immédiatement à Paris...

25   LE COMMANDANT, *vivement.*   Mais du tout![3] n'écrivez
pas! Je tiens à être enfermé; c'est peut-être un moyen de
guérison. Je n'en ai pas encore essayé.

ARMAND.   Mais, cependant.

LE COMMANDANT.   Permettez! j'ai la loi pour moi.[4]

30   ARMAND.   Allons! commandant! puisque vous le voulez.

LE COMMANDANT.   Je vous en prie... instamment...

Dès que **je serai** de retour . . . je vous ferai passer [1] ma carte
et vous pourrez faire instrumenter [2] . . . Je ne sors jamais
avant dix heures. (*Saluant.*) Monsieur, je suis bien heureux
d'avoir eu l'honneur de faire votre connaissance.

ARMAND.   Mais c'est moi, commandant . . . (*Ils se saluent.* 5
Le commandant sort par le fond.)

SCENE IX

ARMAND, *puis* MADAME PERRICHON, *puis* HENRIETTE.

ARMAND.   A la bonne heure ! il n'est pas banal celui-là !
(*Apercevant madame Perrichon qui entre de la gauche.*)
Ah ! madame Perrichon !   10

MADAME PERRICHON.   Comment ! vous êtes seul, monsieur ?   Je croyais que vous deviez accompagner ces messieurs.

ARMAND.   Je suis déjà venu ici l'année dernière, et j'ai
demandé à monsieur Perrichon la permission de me mettre
à vos ordres.   15

MADAME PERRICHON.   Ah ! monsieur. (*A part.*) C'est
tout à fait un homme du monde ! [3] . . . (*Haut.*) Vous
aimez beaucoup la Suisse ?

ARMAND.   Oh ! il faut bien aller quelque part !

MADAME PERRICHON.   Oh ! moi, je ne voudrais pas habiter 20
ce pays-là . . . il y a trop de précipices et de montagnes . . .
Ma famille est de la Beauce. [4]

ARMAND.   Ah ! je comprends.

MADAME PERRICHON.   Près d'Étampes [5] . . .

ARMAND, *à part.*   Nous devons avoir un correspondant [6] 25
à Étampes ; ce serait un lien. (*Haut.*) Vous ne connaissez pas monsieur Pingley, à Étampes ?

MADAME PERRICHON.   Pingley ! . . . c'est mon cousin !
Vous le connaissez ?

ARMAND.   Beaucoup.   (*A part.*)   Je ne l'ai jamais vu !

MADAME PERRICHON.   Quel homme charmant !

ARMAND.   Ah ! oui !

MADAME PERRICHON.   C'est un bien grand malheur qu'il
5 ait son infirmité !

ARMAND.   Certainement, . . . c'est un bien grand malheur !

MADAME PERRICHON.   Sourd à quarante-sept ans !

ARMAND, *à part.*   Tiens ! il est sourd notre correspondant !
C'est donc pour ça qu'il ne répond jamais à nos lettres.

10 MADAME PERRICHON.   Est-ce singulier? c'est un ami de
Pingley qui sauve mon mari ! . . . Il y a de bien grands
hasards dans le monde.

ARMAND.   Souvent aussi on attribue au hasard des péri-
péties dont il est parfaitement innocent.

15 MADAME PERRICHON.   Ah ! oui . . . souvent aussi on
attribue . . . (*A part.*)   Qu'est-ce qu'il veut dire?

ARMAND.   Ainsi, madame, notre rencontre en chemin de
fer, puis à Lyon, puis à Genève, à Chamouny, ici même,
vous mettez tout cela sur le compte du hasard?

20 MADAME PERRICHON.   En voyage, on se retrouve . . .

ARMAND.   Certainement . . . surtout quand on se cherche.

MADAME PERRICHON.   Comment?

ARMAND.   Oui, madame, il ne m'est pas permis de jouer
plus longtemps la comédie du hasard ; je vous dois la vérité,
25 pour vous, pour mademoiselle votre fille.

MADAME PERRICHON.   Ma fille !

ARMAND.   Me pardonnerez-vous?   Le jour où je la vis,
j'ai été touché, charmé . . . J'ai appris que vous partiez pour
la Suisse . . . et je suis parti.

30 MADAME PERRICHON.   Mais alors, vous nous suivez? . . .

ARMAND.   Pas à pas . . . Que voulez-vous . . . j'aime. . .

MADAME PERRICHON. Monsieur !

ARMAND. Oh ! rassurez-vous ! j'aime avec tout le respect, toute la discrétion qu'on doit à une jeune fille dont on serait heureux de faire sa femme.

MADAME PERRICHON, *perdant la tête, à part.* Une de- 5 mande en mariage ! Et Perrichon qui n'est pas là ! (*Haut.*) Certainement, monsieur . . . je suis charmée . . . non, flattée ! . . . parce que vos manières . . . votre éducation . . . Pingley . . . le service que vous nous avez rendu . . . mais monsieur Perrichon est sorti . . . pour la mer de Glace . . . et aussitôt 10 qu'il rentrera. . .

HENRIETTE, *entrant vivement.* Maman ! . . . (*S'arrêtant.*) Ah ! tu causais avec monsieur Armand ?

MADAME PERRICHON, *troublée.* Nous causions, c'est-à-dire, oui ! nous parlions de Pingley ! Monsieur connaît 15 Pingley ; n'est-ce pas ?

ARMAND. Certainement ! je connais Pingley !

HENRIETTE. Oh ! quel bonheur !

MADAME PERRICHON, *à Henriette.* Ah ! comme tu es coiffée ! [1] . . . et ta robe ! ton col. (*Bas.*) Tiens-toi donc 20 droite ! [2]

HENRIETTE, *étonnée.* Qu'est-ce qu'il y a ? [3] (*Cris et tumulte au dehors.*)

MADAME PERRICHON et HENRIETTE. Ah ! mon Dieu !

ARMAND. Ces cris ! . . . 25

SCÈNE X

LES MÊMES, PERRICHON, DANIEL, LE GUIDE, L'AUBERGISTE.

(*Daniel entre soutenu par l'aubergiste et par le guide.*)

PERRICHON, *très ému.* Vite ! de l'eau ! du sel ! du vi-naigre ! [4] (*Il fait asseoir Daniel.*)

TOUS.   Qu'y a-t-il ?

PERRICHON.   Un événement affreux ! (*S'interrompant.*)
Faites-le boire, frottez-lui les tempes !

DANIEL.   Merci . . . Je me sens mieux.

5   ARMAND.   Qu'est-il arrivé ? . . .

DANIEL.   Sans le courage de monsieur Perrichon . . .

PERRICHON, *vivement.*   Non, pas vous ! ne parlez pas ! . . .
(*Racontant.*[1]) C'est horrible ! . . . Nous étions sur la mer
de Glace . . . Le mont Blanc nous regardait tranquille et
10 majestueux . . .

DANIEL, *à part.*   Le récit de Théramène ![2]

MADAME PERRICHON.   Mais dépêche-toi donc !

HENRIETTE.   Mon père !

PERRICHON.   Un instant, que diable ![3] Depuis cinq mi-
15 nutes nous suivions, tout pensifs, un sentier abrupte qui
serpentait entre deux crevasses . . . de glace ! Je marchais
le premier.

MADAME PERRICHON.   Quelle imprudence !

PERRICHON.   Tout à coup, j'entends derrière moi comme
20 un éboulement ; je me retourne : monsieur venait de disparaître dans un de ces abîmes sans fond, dont la vue seule
fait frissonner . . .

MADAME PERRICHON, *impatientée.*   Mon ami !

PERRICHON.   Alors, n'écoutant que mon courage, moi,
25 père de famille, je m'élance . . .

MADAME PERRICHON, *et* HENRIETTE.   Ciel !

PERRICHON.   Sur le bord du précipice, je lui tends mon
bâton ferré . . . Il s'y crampone. Je tire[4] . . . il tire . . .
nous tirons, et, après une lutte insensée, je l'arrache au néant
30 et je le ramène à la face du soleil, notre père à tous ! . . .
(*Il s'essuie le front avec son mouchoir.*)

HENRIETTE.   Oh ! papa !

MADAME PERRICHON.   Mon ami !

PERRICHON, *embrassant sa femme et sa fille.*   Oui, mes enfants, c'est une belle page . . .

ARMAND, *à Daniel.*   Comment vous trouvez-vous?   5

DANIEL, *bas.*   Très bien ! ne vous inquiétez pas ! (*Il se lève.*)   Monsieur Perrichon, vous venez de rendre un fils à sa mère . . .

PERRICHON, *majestueusement.*   C'est vrai !

DANIEL.   Un frère à sa sœur !   10

PERRICHON.   Et un homme à la société.   •

DANIEL.   Les paroles sont impuissantes pour reconnaître un tel service.

PERRICHON.   C'est vrai !

DANIEL.   Il n'y a que le cœur . . . entendez-vous, le cœur ! 15

PERRICHON.   Monsieur Daniel ! Non ! laissez-moi vous appeler Daniel?

DANIEL.   Comment donc ! (*A part.*)   Chacun son tour !

PERRICHON, *ému.*   Daniel, mon ami, mon enfant ! . . . votre main. (*Il lui prend la main.*)   Je vous dois les plus 20 douces émotions de ma vie . . . Sans moi, vous ne seriez qu'une masse informe et repoussante, ensevelie sous les frimas [1] . . . Vous me devez tout, tout ! (*Avec noblesse.*)   Je ne l'oublierai jamais !

DANIEL.   Ni moi !   25

PERRICHON, *à Armand, en s'essuyant les yeux.*   Ah ! jeune homme . . . vous ne savez pas le plaisir qu'on éprouve à sauver son semblable.

HENRIETTE.   Mais, papa, monsieur le sait bien, puisque tantôt . . .   30

PERRICHON, *se rappelant.*   Ah ! oui ! c'est juste ! [2]   Monsieur l'aubergiste, apportez-moi le livre des voyageurs.

MADAME PERRICHON.   Pourquoi faire?

PERRICHON.   Avant de quitter ces lieux,[1] je désire consacrer par une note le souvenir de cet événement!

L'AUBERGISTE, *apportant le registre.*   Voilà, monsieur.

5   PERRICHON.   Merci . . . Tiens, qui est-ce qui a écrit ça?

TOUS.   Quoi donc?

PERRICHON, *lisant.*   " Je ferai observer à monsieur Perrichon que la mer de Glace n'ayant pas d'enfants, l'E qu'il
lui attribue devient un dévergondage[2] grammatical.   Signé:
10 le Commandant."

TOUS.   Hein?

HENRIETTE, *bas à son père.*   Oui, papa! mer ne prend
pas d'E à la fin.

PERRICHON.   Je le savais!   Je vais lui répondre à ce
15 monsieur. (*Il prend une plume et écrit.*)   " Le commandant
est . . . un paltoquet![3]   Signé: Perrichon."

LE GUIDE, *rentrant.*   La voiture est là.

PERRICHON.   Allons!   Dépêchons-nous.   (*Aux jeunes
gens.*)   Messieurs, si vous voulez accepter une place?
20 (*Armand et Daniel s'inclinent.*)

MADAME PERRICHON, *appelant son mari.*   Perrichon,
aide-moi à mettre mon manteau.   (*Bas.*)   On vient de me
demander notre fille en mariage . . .

PERRICHON.   Tiens! à moi aussi!

25 MADAME PERRICHON.   C'est monsieur Armand.

PERRICHON.   Moi, c'est Daniel . . . mon ami Daniel.

MADAME PERRICHON.   Mais il me semble que l'autre . . .

PERRICHON.   Nous parlerons de cela plus tard . . .

HENRIETTE, *à la fenêtre.*   Ah! il pleut à verse![4]

30 PERRICHON.   Ah diable!   (*A l'aubergiste.*)   Combien
tient-on dans votre voiture?

L'Aubergiste.   Quatre dans l'intérieur et un à côté du cocher.

Perrichon.   C'est juste le compte.[1]

Armand.   Ne vous gênez pas pour moi.

Perrichon.   Daniel montera avec nous.   5

Henriette, *bas à son père.*   Et monsieur Armand?

Perrichon, *bas.*   Dame![2] il n'y a que quatre places! il montera sur le siège.

Henriette.   Par une pluie pareille?

Madame Perrichon.   Un homme qui t'a sauvé!   10

Perrichon.   Je lui prêterai mon caoutchouc!

Henriette.   Ah!

Perrichon.   Allons! en route! en route!

Daniel, *à part.*   Je savais bien que je reprendrais la corde![3]   15

ACTE TROISIÈME

Un salon chez Perrichon, à Paris. — Cheminée au fond; porte d'entrée
dans l'angle à gauche; appartement [1] dans l'angle à droite; salle à
manger à gauche; au milieu, guéridon avec tapis; [2] canapé à droite
du guéridon.

―――――――

SCÈNE PREMIÈRE

5   JEAN, *seul achevant d'essuyer un fauteuil.* Midi moins
un quart . . . C'est aujourd'hui que monsieur Perrichon
revient de voyage avec madame et mademoiselle . . . j'ai
reçu hier une lettre de monsieur . . . la voilà. (*Lisant.*)
"Grenoble,[3] 5 juillet. Nous arriverons mercredi, 7 juillet,
10 à midi. Jean nettoiera l'appartement et fera poser [4] les
rideaux." (*Parlé.*) C'est fait. (*Lisant.*) "Il dira à Marguerite, la cuisinière, de nous préparer le dîner. Elle mettra
le pot au feu [5] . . . un morceau pas trop gras . . . de plus,
comme il y a longtemps que nous n'avons mangé de poisson
15 de mer, elle nous achètera une petite barbue [6] bien fraîche . . .
Si la barbue était trop chère, elle la remplacerait par un
morceau de veau à la casserole." [7] (*Parlé.*) Monsieur
peut arriver . . . tout est prêt . . . Voilà ses journaux, ses
lettres, ses cartes de visite . . . Ah ! par exemple,[8] il est venu
20 ce matin de bonne heure un monsieur que je ne connais
pas . . . il m'a dit qu'il s'appelait le Commandant . . . Il
doit repasser.[9] (*Coup de sonnette à la porte extérieure.*)
On sonne ! . . . c'est monsieur . . . je reconnais sa main ! . . .

SCÈNE II

JEAN, PERRICHON, MADAME PERRICHON, HENRIETTE, *ils*
portent des sacs de nuit et des cartons.[1]

PERRICHON. Jean . . . c'est nous !

JEAN. Ah ! monsieur ! . . . madame . . . mademoiselle ! . . .
(*Il les débarrasse de leurs paquets.*)

PERRICHON. Ah ! qu'il est doux de rentrer chez soi, de
voir ses meubles, de s'y asseoir. (*Il s'assoit sur le canapé.*)

MADAME PERRICHON, *assise à gauche.* Nous devrions
être de retour depuis huit jours . . .

PERRICHON. Nous ne pouvions passer à Grenoble sans   10
aller voir les Darinel . . . ils nous ont retenus . . . (*A Jean.*)
Est-il venu quelque chose pour moi en mon absence ?

JEAN. Oui, monsieur . . . tout est là sur la table.

PERRICHON, *prenant plusieurs cartes de visite.* Que de[2]
visites ! (*Lisant.*) Armand Desroches . . .   15

HENRIETTE, *avec joie.* Ah !

PERRICHON. Daniel Savary . . . brave jeune homme ! . . .
Armand Desroches . . . Daniel Savary . . . charmant jeune
homme . . . Armand Desroches.

JEAN. Ces messieurs sont venus tous les jours s'informer 20
de votre retour.

MADAME PERRICHON. Tu leur dois une visite.

PERRICHON. Certainement j'irai le voir . . . ce brave
Daniel !

HENRIETTE. Et monsieur Armand ?   25

PERRICHON. J'irai le voir aussi . . . après. (*Il se lève.*)

HENRIETTE, *à Jean.* Aidez-moi à porter ces cartons dans
la chambre.

JEAN. Oui, mademoiselle. (*Regardant Perrichon.*) Je

trouve monsieur engraissé.[1]   On voit qu'il a fait un bon
voyage.

PERRICHON.   Splendide, mon ami, splendide !   Ah ! tu ne
sais pas?   J'ai sauvé un homme !

5   JEAN, *incrédule*.   Monsieur? . . . Allons   donc ![2] . . . (*Il
sort avec Henriette par la droite.*)

SCÈNE III

PERRICHON, MADAME PERRICHON.

PERRICHON.   Comment !   Allons donc ! . . . Est-il bête,
cet animal-là ![3]

10   MADAME PERRICHON.   Maintenant que nous voilà de
retour, j'espère que tu vas prendre un parti [4] . . . Nous ne
pouvons tarder plus longtemps à rendre réponse à ces deux
jeunes gens . . . deux prétendus [5] dans la maison . . . c'est
trop ! . . .

15   PERRICHON.   Moi, je n'ai pas changé d'avis . . . j'aime
mieux Daniel !

MADAME PERRICHON.   Pourquoi?

PERRICHON.   Je ne sais pas . . . je le trouve plus . . .
enfin, il me plaît, ce jeune homme !

20   MADAME PERRICHON.   Mais l'autre . . . l'autre t'a sauvé !

PERRICHON.   Il m'a sauvé !   Toujours le même refrain !

MADAME PERRICHON.   Qu'as-tu à lui reprocher?   Sa
famille est honorable, sa position excellente . . .

PERRICHON.   Mon Dieu ! je ne lui reproche rien . . . je
25 ne lui en veux [6] pas à ce garçon !

MADAME PERRICHON.   Il ne manquerait plus que ça ![7]

PERRICHON.   Mais je lui trouve un petit air pincé.

MADAME PERRICHON.   Lui !

PERRICHON.   Oui, il a un ton protecteur . . . des manières

. . . il semble toujours se prévaloir du petit service qu'il m'a rendu . . .

MADAME PERRICHON.   Il ne t'en parle jamais !

PERRICHON.   Je le sais bien ! mais c'est son air ! son air me dit : Hein ? sans moi ? . . . C'est agaçant à la longue[1] : 5 tandis que l'autre ! . . .

MADAME PERRICHON.   L'autre te répète sans cesse : Hein ? sans vous . . . hein ? sans vous ?   Cela flatte ta vanité . . . et voilà pourquoi tu le préfères.

PERRICHON.   Moi ! de la vanité !   J'aurais peut-être le 10 droit d'en avoir !

MADAME PERRICHON.   Oh !

PERRICHON.   Oui, madame ! . . . l'homme qui a risqué sa vie pour sauver son semblable peut être fier de lui-même . . . mais j'aime mieux me renfermer dans un silence modeste . . . 15 signe caractéristique du vrai courage !

MADAME PERRICHON.   Mais tout cela n'empêche pas que M. Armand . . .

PERRICHON.   Henriette n'aime pas . . . ne peut pas aimer M. Armand ! 20

MADAME PERRICHON.   Qu'en sais-tu ?

PERRICHON.   Dame ! je suppose . . .

MADAME PERRICHON.   Il y a un moyen de le savoir ! c'est de l'interroger . . . et nous choisirons celui qu'elle préférera . . .

PERRICHON.   Soit ! . . . mais ne l'influence pas ! 25

MADAME PERRICHON.   La voici.

SCÈNE IV

PERRICHON, MADAME PERRICHON, HENRIETTE.

MADAME PERRICHON, *à sa fille qui entre*.   Henriette . . . ma chère enfant . . . ton père et moi, nous avons à te parler sérieusement. 30

HENRIETTE. A moi?

PERRICHON. Oui.

MADAME PERRICHON. Te voilà bientôt en âge d'être mariée . . . deux jeunes gens se présentent pour obtenir ta main . . . tous deux nous conviennent . . . mais nous ne voulons pas contrarier ta volonté, et nous avons résolu de te laisser l'entière liberté du choix.[1]

HENRIETTE. Comment !

PERRICHON. Pleine et entière . . .

MADAME PERRICHON. L'un de ces jeunes gens est M. Armand Desroches.

HENRIETTE. Ah !

PERRICHON, *vivement.* N'influence pas ! . . .

MADAME PERRICHON. L'autre est M. Daniel Savary . . .

PERRICHON. Un jeune homme charmant, distingué, spirituel,[2] et qui, je ne le cache pas, a toutes mes sympathies . . .

MADAME PERRICHON. Mais tu influences . . .

PERRICHON. Du tout ![3] je constate un fait ! . . . (*A sa fille.*) Maintenant te voilà éclairée . . . choisis . . .

HENRIETTE. Mon Dieu ! . . . vous m'embarrassez beaucoup . . . et je suis prête à accepter[4] celui que vous me désignerez . . .

PERRICHON. Non ! non ! décide toi-même !

MADAME PERRICHON. Parle, mon enfant !

HENRIETTE. Eh bien ! puisqu'il faut absolument faire un choix, je choisis . . . M. Armand.

MADAME PERRICHON. Là !

PERRICHON. Armand ! Pourquoi pas Daniel ?

HENRIETTE. Mais M. Armand t'a sauvé, papa.

PERRICHON. Allons, bien ! encore ! c'est fatigant, ma parole d'honneur !

MADAME PERRICHON.   Eh bien ! tu vois . . . il n'y a pas à hésiter . . .

PERRICHON.   Ah ! mais permets, chère amie, un père ne peut pas abdiquer . . . Je réfléchirai, je prendrai mes renseignements.

MADAME PERRICHON, *bas.* Monsieur Perrichon, c'est de la mauvaise foi !

PERRICHON.   Caroline ! . . .

SCÈNE V

LES MÊMES, JEAN, MAJORIN.

JEAN, *à la cantonade.*   Entrez ! . . . ils viennent d'arriver ! 10 (*Majorin entre.*)

PERRICHON.   Tiens ! c'est Majorin ! . . .

MAJORIN, *saluant.*   Madame . . . mademoiselle . . . j'ai appris que vous reveniez aujourd'hui . . . alors j'ai demandé un jour de congé . . . j'ai dit que j'étais de garde [1] . . .   15

PERRICHON.   Ce cher ami ! c'est très aimable . . . Tu dînes avec nous? nous avons une petite barbue . . .

MAJORIN.   Mais . . . si ce n'est pas indiscret . . .

JEAN, *bas à Perrichon.*   Monsieur . . . c'est du veau à la casserole ! (*Il sort.*)   20

PERRICHON.   Ah ! (*A Majorin.*) Allons, n'en parlons plus, ce sera pour une autre fois . . .

MAJORIN, *à part.*   Comment ! il me désinvite ! S'il croit que j'y tiens,[2] à son dîner ! (*Prenant Perrichon à part. Les dames s'asseyent sur le canapé.*) J'étais venu pour te 25 parler des six cents francs que tu m'as prêtés le jour de ton départ . . .

PERRICHON.   Tu me les rapportes?

MAJORIN.   Non . . . Je ne touche que demain mon dividende des paquebots . . . mais à midi précis . . .   30

PERRICHON.   Oh ! ça ne presse pas !

MAJORIN.   Pardon . . . j'ai hâte de m'acquitter . . .

PERRICHON.   Ah ! tu ne sais pas ? . . . je t'ai rapporté un souvenir.

5   MAJORIN, *Il s'assied derrière le guéridon.*   Un souvenir ! à moi ?

PERRICHON, *s'asseyant.*   En passant à Genève, j'ai acheté trois montres . . . une pour Jean, une pour Marguerite, la cuisinière . . . et une pour toi, à répétition.[1]

10   MAJORIN, *à part.*   Il me met après ses domestiques ! (*Haut.*)   Enfin ?

PERRICHON.   Avant d'arriver à la douane française, je les avais fourrées dans ma cravate [2] . . .

MAJORIN.   Pourquoi ?

15   PERRICHON.   Tiens ! je n'avais pas envie de payer les droits.[3]   On me demande : Avez-vous quelque chose à déclarer ?   Je réponds non ; je fais un mouvement et voilà ta diablesse de [4] montre qui sonne : dig, dig, dig.

MAJORIN.   Eh bien ?

20   PERRICHON.   Eh bien ! j'ai été pincé [5] . . . on a tout saisi . . .

MAJORIN.   Comment ?

PERRICHON.   J'ai eu une scène atroce ! [6]   J'ai appelé le douanier méchant gabelou ! [7]   Il m'a dit que j'entendrais 25 parler [8] de lui . . . Je regrette beaucoup cet incident . . . elle était charmante, ta montre.

MAJORIN, *sèchement.*   Je ne t'en remercie pas moins . . . (*A part.*)   Comme s'il ne pouvait pas acquitter les droits . . . c'est sordide !

SCÈNE VI

Les Mêmes, Jean, Armand.

Jean, *annonçant.*   Monsieur Armand Desroches !

Henriette, *quittant son ouvrage.*   Ah !

Madame Perrichon, *se levant et allant au-devant d'Armand.*   Soyez le bienvenu . . . nous attendions votre visite . . .   5

Armand, *saluant.*   Madame . . . monsieur Perrichon . . .

Perrichon.   Enchanté ! . . . enchanté !   (*A part.*)   Il a toujours son petit air protecteur ! . . .

Madame Perrichon, *bas à son mari.*   Présente-le donc à Majorin.   10

Perrichon.   Certainement . . . (*Haut.*)   Majorin . . . je te présente monsieur Armand Desroches . . . une connaissance de voyage. . .

Henriette, *vivement.*   Il a sauvé papa !

Perrichon, *à part.*   Allons, bien ! . . . encore !   15

Majorin.   Comment, tu as couru quelque danger ?

Perrichon.   Non . . . une misère . . .

Armand.   Cela ne vaut pas la peine d'en parler . . .

Perrichon, *à part.*   Toujours son petit air !

SCÈNE VII

Les Mêmes, Jean, Daniel.   20

Jean, *annonçant.*   Monsieur Daniel Savary ! . . .

Perrichon, *s'épanouissant.*   Ah ! le voilà, ce cher ami ! . . . ce bon Daniel ! . . . (*Il renverse presque le guéridon en courant au-devant de lui.*)

Daniel, *saluant.*   Mesdames . . . Bonjour, Armand !   25

Perrichon, *le prenant par la main.*   Venez, que je vous présente à Majorin . . . (*Haut.*)   Majorin, je te présente un de mes bons . . . un de mes meilleurs amis . . . monsieur Daniel Savary . . .

MAJORIN.   Savary? des paquebots?

DANIEL, *saluant*.   Moi-même.

PERRICHON.   Ah! sans moi! il ne te payerait pas demain ton dividende.

5   MAJORIN.   Pourquoi?

PERRICHON.   Pourquoi? (*Avec fatuité.*)   Tout simplement parce que je l'ai sauvé, mon bon! [1]

MAJORIN.   Toi? (*A part.*)   Ah çà! ils ont donc passé tout leur temps à se [2] sauver la vie!

10   PERRICHON, *racontant*.   Nous étions sur la mer de Glace, le mont Blanc nous regardait tranquille et majestueux.

DANIEL, *à part*.   Second récit de Théramène! [3]

PERRICHON.   Nous suivions tout pensifs un sentier abrupte.

HENRIETTE, *qui a ouvert un journal*.   Tiens, papa qui
15 est dans le journal!

PERRICHON.   Comment! je suis dans le journal?

HENRIETTE.   Lis toi-même . . . là . . . (*Elle lui donne le journal.*)

PERRICHON.   Vous allez voir que je suis tombé du jury! [4]
20 (*Lisant.*)   " On nous écrit de Chamouny . . .

TOUS.   Tiens! (*Ils se rapprochent.*)

PERRICHON, *lisant*.   " Un événement qui aurait pu avoir des suites déplorables vient d'arriver à la mer de Glace . . . M. Daniel S. . . a fait un faux pas et a disparu dans une de
25 ces crevasses si redoutées des voyageurs.   Un des témoins de cette scène, M. Perrichon (qu'il nous permette de le nommer.)" (*Parlé.*)   Comment donc! [5] si je le permets .
(*Lisant.*)   " M. Perrichon, notable commerçant de Paris et père de famille, n'écoutant que son courage, et au mépris
30 de [6] sa propre vie, s'est élancé dans le gouffre," (*Parlé.*)
C'est vrai! " et après des efforts inouïs, a été assez heureux

pour en retirer son compagnon. Un si admirable dévouement n'a été surpassé que par la modestie de M. Perrichon,
qui s'est dérobé aux félicitations de la foule émue et atten-
drie . . . Les gens de cœur de tous les pays nous sauront gré
de leur signaler un pareil trait ! ''   5

TOUS. Ah !

DANIEL, *à part*. Trois francs [1] la ligne !

PERRICHON, *relisant lentement la dernière phrase*. " Les
gens de cœur de tous les pays nous sauront gré de leur
signaler un pareil trait." (*A Daniel très ému.*) Mon 10
ami . . . mon enfant ! embrassez-moi ! (*Ils s'embrassent.*)

DANIEL, *à part*. Décidément, j'ai la corde [2] . . .

PERRICHON, *montrant le journal*. Certes, je ne suis pas
un révolutionnaire, mais je le proclame hautement, la presse
a du bon ! [3] (*Mettant le journal dans sa poche et à part.*) 15
J'en ferai acheter dix numéros ! [4]

MADAME PERRICHON. Dis donc, mon ami, si nous en-
voyions au journal le récit de la belle action de M. Armand ?

HENRIETTE. Oh ! oui ! cela ferait un joli pendant !

PERRICHON, *vivement*. C'est inutile ! [5] je ne peux pas 20
toujours occuper les journaux de ma personnalité . . .

JEAN, *entrant un papier à la main*. Monsieur ?

PERRICHON. Quoi ?

JEAN. Le concierge vient de me remettre un papier
timbré [6] pour vous.   25

MADAME PERRICHON. Un papier timbré ?

PERRICHON. N'aie donc pas peur ! je ne dois rien à
personne . . . au contraire, on me doit . . .

MAJORIN, *à part*. C'est pour moi qu'il dit ça !

PERRICHON, *regardant le papier*. Une assignation à 30
comparaître devant la sixième chambre [7] pour injures envers
un agent de la force publique dans l'exercice de ses fonctions.

Tous.   Ah ! mon Dieu !

Perrichon, *lisant*.   Vu le procès-verbal dressé [1] au bureau de la douane française par le sieur Machut, sergent douanier . . . (*Majorin remonte.*)

5   Armand.   Qu'est-ce que cela signifie ?

Perrichon.   Un douanier qui m'a saisi trois montres . . . j'ai été trop vif . . . je l'ai appelé gabelou ! rebut de l'humanité ! . . .

Majorin, *derrière le guéridon*.   C'est très grave ! Très
10 grave !

Perrichon, *inquiet*.   Quoi ?

Majorin.   Injures qualifiées envers un agent de la force publique dans l'exercice de ses fonctions.

Madame Perrichon, *et* Perrichon.   Eh bien ?

15   Majorin.   De quinze jours à trois mois de prison . . .

Tous.   En prison !

Perrichon.   Moi ! après cinquante ans d'une vie pure et sans tache . . . j'irais m'asseoir sur le banc de l'infamie ! jamais ! jamais !

20   Majorin, *à part*.   C'est bien fait ! [2] ça lui apprendra à ne pas acquitter les droits !

Perrichon.   Ah ! mes amis ! mon avenir est brisé.

Madame Perrichon.   Voyons, calme-toi !

Henriette.   Papa !

25   Daniel.   Du courage !

Armand.   Attendez ! je puis peut-être vous tirer de là.

Tous.   Hein ?

Perrichon.   Vous ! mon ami . . . mon bon ami !

Armand, *allant à lui*.   Je suis lié assez intimement avec
30 un employé supérieur de l'administration des douanes . . . je vais le voir . . . peut-être pourra-t-on décider le douanier à retirer sa plainte.

MAJORIN. Ça me paraît difficile !

ARMAND. Pourquoi? un moment de vivacité . . .

PERRICHON. Que je regrette !

ARMAND. Donnez-moi ce papier . . . j'ai bon espoir . . .
ne vous tourmentez pas, mon brave M. Perrichon ! 5

PERRICHON, *ému, lui prenant la main.* Ah ! Daniel ! (*se
reprenant*) non ! Armand ! tenez, il faut que je vous embrasse ! (*Ils s'embrassent.*)

HENRIETTE, *à part.* A la bonne heure ![1] (*Elle remonte
avec sa mère.*) 10

ARMAND, *bas à Daniel.* A mon tour, j'ai la corde !

DANIEL. Parbleu ![2] (*A part.*) Je crois avoir affaire à
un rival et je tombe sur un terre-neuve.[3]

MAJORIN, *à Armand.* Je sors avec vous.

PERRICHON. Tu nous quittes? 15

MAJORIN. Oui . . . (*Fièrement.*) Je dîne en ville ![4] (*Il
sort avec Armand.*)

MADAME PERRICHON, *s'approchant de son mari et bas.*
Eh bien, que penses-tu maintenant de M. Armand?

PERRICHON. Lui ! c'est-à-dire que c'est[5] un ange ! un 20
ange !

MADAME PERRICHON. Et tu hésites à lui donner ta fille?

PERRICHON. Non ! je n'hésite plus.

MADAME PERRICHON. Enfin ! je te retrouve ! Il ne te
reste plus qu'à prévenir M. Daniel. 25

PERRICHON. Oh ! ce pauvre garçon ! tu crois?[6]

MADAME PERRICHON. Dame ! à moins que tu ne veuilles
attendre l'envoi des billets de faire part?[7]

PERRICHON. Oh ! non !

MADAME PERRICHON. Je te laisse avec lui . . . courage ! 30
(*Haut.*) Viens-tu Henriette? (*Saluant Daniel.*) Monsieur. (*Elle sort à droite suivie d'Henriette.*)

SCÈNE VIII

PERRICHON, DANIEL.

DANIEL, *à part en descendant.* Il est évident que mes actions baissent [1] . . . Si je pouvais . . . (*Il va au canapé.*)

PERRICHON, *à part au fond.* Ce brave jeune homme . . . ça me fait de la peine . . . Allons ! Il le faut ! (*Haut.*) Mon cher Daniel . . . mon bon Daniel . . . j'ai une communication pénible à vous faire.

DANIEL, *à part.* Nous y voilà ! [2] (*Ils s'asseyent sur le canapé.*)

PERRICHON. Vous m'avez fait l'honneur de me demander la main de ma fille . . . Je caressais ce projet, mais les circonstances . . . les événements . . . votre ami, M. Armand, m'a rendu de tels services ! . . .

DANIEL. Je comprends.

PERRICHON. Car on a beau dire, [3] il m'a sauvé la vie, cet homme !

DANIEL. Eh bien, et le petit sapin auquel vous vous êtes cramponné ?

PERRICHON. Certainement . . . le petit sapin . . . mais il était bien petit . . . il pouvait casser . . . et puis je ne le tenais pas encore.

DANIEL. Ah !

PERRICHON. Non . . . mais ce n'est pas tout . . . dans ce moment, cet excellent jeune homme brûle le pavé [4] pour me tirer des cachots . . . Je lui devrai l'honneur . . . l'honneur !

DANIEL. M. Perrichon ! le sentiment qui vous fait agir est trop noble pour que je cherche à le combattre . . .

PERRICHON. Vrai ! Vous ne m'en voulez pas ?

DANIEL. Je ne me souviens que de votre courage . . . de
votre dévouement pour moi . . .

PERRICHON, *lui prenant la main.* Ah ! Daniel ! (*A part.*)
C'est étonnant comme j'aime ce garçon-là !

DANIEL, *se levant.* Aussi, avant de partir . . .   5

PERRICHON. Hein ?

DANIEL. Avant de vous quitter . . .

PERRICHON, *se levant.* Comment ! me quitter ! vous ?
Et pourquoi ?

DANIEL. Je ne puis continuer des visites qui seraient 10
compromettantes [1] pour mademoiselle votre fille . . . et
douloureuses pour moi.

PERRICHON. Allons bien ! [2] Le seul homme que j'aie
sauvé !

DANIEL. Oh ! mais votre image ne me quittera pas . . 15
j'ai formé un projet . . . c'est de fixer sur la toile, comme
elle l'est déjà dans mon cœur, l'héroïque scène de la mer de
Glace.

PERRICHON. Un tableau ! Il veut me mettre dans un
tableau !   20

DANIEL. Je me suis déjà adressé à un de nos peintres les
plus illustres . . . un de ceux qui travaillent pour la postérité ! . . .

PERRICHON. La postérité ! Ah ! Daniel ! (*A part.*) C'est
extraordinaire comme j'aime ce garçon-là !   25

DANIEL. Je tiens surtout à la ressemblance . . .

PERRICHON. Je crois bien ! moi aussi !

DANIEL. Mais il sera nécessaire que vous nous donniez
cinq ou six séances . . .

PERRICHON. Comment donc, mon ami ! quinze ! vingt ! 30
trente ! ça ne m'ennuira pas . . . nous poserons ensemble !

DANIEL, *vivement.*   Ah ! non . . . pas moi !

PERRICHON.   Pourquoi ?

DANIEL.   Parce que . . . voici comment nous avons conçu le tableau . . . on ne verra sur la toile que le Mont-Blanc . . .

5   PERRICHON, *inquiet.*   Eh bien, et moi ?

DANIEL.   Le mont Blanc et vous !

PERRICHON.   C'est ça[1] . . . moi et le Mont-Blanc . . . tranquille et majestueux ! . . . Ah ! ça, et vous, où serez-vous ?

DANIEL.   Dans le trou . . . tout au fond . . . on n'apercevra que mes deux mains crispées et suppliantes . . .

PERRICHON.   Quel magnifique tableau !

DANIEL.   Nous le mettrons au Musée . . .

PERRICHON.   De Versailles ?[2]

DANIEL.   Non, de Paris[3] . . .

15   PERRICHON.   Ah ! oui . . . à l'exposition ! . . .

DANIEL.   Et nous inscrirons sur le livret[4] cette notice . . .

PERRICHON.   Non ! pas de banque ![5] pas de réclame ! Nous mettrons tout simplement l'article de mon journal . . . " On nous écrit de Chamouny . . ."

20   DANIEL.   C'est un peu sec.[6]

PERRICHON.   Oui . . . mais nous l'arrangerons !   (*Avec effusion.*)   Ah ! Daniel, mon ami ! . . . mon enfant !

DANIEL.   Adieu, monsieur Perrichon ! . . . nous ne devons plus nous revoir . . .

25   PERRICHON.   Non ! c'est impossible ! c'est impossible ! ce mariage . . . rien n'est encore décidé . . .

DANIEL.   Mais . . .

PERRICHON.   Restez ! je le veux !

DANIEL, *à part.*   Allons donc ![7]

SCÈNE IX

LES MÊMES, JEAN, LE COMMANDANT.

JEAN, *annonçant*.   Monsieur le commandant Mathieu !

PERRICHON, *étonné*.   Qu'est-ce que c'est que ça ? [1]

LE COMMANDANT, *entrant*.   Pardon, messieurs, je vous
dérange peut-être ?   5

PERRICHON.   Du tout.

LE COMMANDANT, *à Daniel*.   Est-ce à monsieur Perrichon
que j'ai l'honneur de parler ?

PERRICHON.   C'est moi, monsieur.

LE COMMANDANT.   Ah ! . . . (*A Perrichon.*)   Monsieur, 10
voilà douze jours que je vous cherche.   Il y a beaucoup de
Perrichon à Paris . . . j'en ai déjà visité une douzaine . . .
mais je suis tenace . . . *persistent*

PERRICHON, *lui indiquant un siège à gauche du guéridon*.
Vous avez quelque chose à me communiquer ?   (*Il s'assied* 15
sur le canapé.   Daniel remonte.)

LE COMMANDANT, *s'asseyant*.   Je n'en sais rien encore . . .
Permettez-moi d'abord de vous adresser une question :
Est-ce vous qui avez fait, il y a un mois, un voyage à la mer
de Glace ?   20

PERRICHON.   Oui, monsieur, c'est moi-même ! je crois
avoir le droit de m'en vanter ! *boast*

LE COMMANDANT.   Alors, c'est vous qui avez écrit sur le
registre des voyageurs : " Le commandant est un paltoquet."

PERRICHON.   Comment ! vous êtes ? . . .   25

LE COMMANDANT.   Oui, monsieur . . . c'est moi !

PERRICHON.   Enchanté ! (*Ils se font plusieurs petits*
saluts.)

DANIEL, *à part en descendant*.   Diable ! l'horizon s'obs-
curcit ! . . .   30

Le Commandant.   Monsieur, je ne suis ni querelleur, ni ferrailleur, mais je n'aime pas à laisser traîner sur[1] les livres d'auberge de pareilles appreciations à côté de mon nom . . .

Perrichon.   Mais vous avez écrit le premier une note . . . plus que vive !

Le Commandant.   Moi ? je me suis borné à constater que mer de Glace ne prenait pas d'*e* à la fin : voyez le dictionnaire . . .

Perrichon.   Eh ! monsieur ! vous n'êtes pas chargé de corriger mes . . . prétendues fautes d'orthographe !   De quoi vous mêlez-vous ?[2]   (*Ils se lèvent.*)

Le Commandant.   Pardon . . . pour moi, la langue française est une compatriote aimée . . . une dame de bonne maison,[3] élégante, mais un peu cruelle . . . vous le savez mieux que personne.

Perrichon.   Moi ? . . .

Le Commandant.   Et quand j'ai l'honneur de la rencontrer à l'étranger . . . je ne permets pas qu'on éclabousse sa robe.   C'est une question de chevalerie et de nationalité.

Perrichon.   Ah ! çà![4] monsieur, auriez-vous la prétention de me donner une leçon ?

Le Commandant.   Loin de moi cette pensée . . .

Perrichon.   Ah ! ce n'est pas malheureux ![5]   (*A part.*) Il recule.

Le Commandant.   Mais sans vouloir vous donner une leçon, je viens vous demander poliment . . . une explication.

Perrichon, *à part*.   Mathieu ![6] . . . c'est un faux commandant.

Le Commandant.   De deux choses l'une : ou vous persistez . . .

Perrichon.   Je n'ai pas besoin de tous ces raisonnements !

Vous croyez peut-être m'intimider : monsieur ... j'ai fait
mes preuves de courage, entendez-vous ! et je vous les ferai
voir ...

Le Commandant.   Où ça ? [1]

Perrichon.   A l'exposition ... L'année prochaine ...   5

Le Commandant.   Oh ! permettez ! ... Il me sera impossible d'attendre jusque-là ... Pour abréger, je vais au
fait : retirez-vous, oui ou non ?

Perrichon.   Rien du tout !

Le Commandant.   Prenez garde !   10

Daniel.   Monsieur Perrichon !

Perrichon.   Rien du tout !   (*A part.*)   Il n'a pas seulement de moustaches !

Le Commandant.   Alors, monsieur Perrichon, j'aurai
l'honneur de vous attendre demain, à midi, avec mes   15
témoins, dans les bois de la Malmaison [2] ...

Daniel.   Commandant ! un mot ?

Le Commandant.   *remontant.*   Nous vous attendrons
chez le garde ! [3]

Daniel.   Mais, commandant ...   20

Le Commandant.   Mille pardons ... j'ai rendez-vous
avec un tapissier ... pour choisir des étoffes, des meubles ...
A demain ... midi ... (*Saluant.*)   Messieurs ... j'ai bien
l'honneur ... (*Il sort.*)

SCÈNE X

Perrichon, Daniel, *puis* Jean.   25

Daniel, *à Perrichon.*   Diable ! vous êtes raide en affaires ! [4]
avec un commandant surtout !

Perrichon.   Lui ! un commandant ? Allons donc ! [5]
Est-ce que les vrais commandants s'amusent à éplucher les
fautes d'orthographe ?   30

DANIEL. N'importe ! Il faut questionner, s'informer ...
(*Il sonne à la cheminée.*) savoir à qui nous avons à faire.

JEAN, *paraissant.* Monsieur ?

PERRICHON, *à Jean.* Pourquoi as-tu laissé entrer cèt
5 homme qui sort d'ici ?

JEAN. Monsieur, il était déjà venu ce matin . . J'ai
même oublié de vous remettre sa carte ...

DANIEL. Ah ! sa carte !

PERRICHON. Donne ! (*La lisant.*) Mathieu, ex-com-
10 mandant au deuxième zouaves.[1]

DANIEL. Un zouave !

PERRICHON. Saprelotte ![2]

JEAN. Quoi donc ?

PERRICHON. Rien ! Laissez-nous ! (*Jean sort.*)

15 DANIEL. Eh bien ! nous voilà dans une jolie situation !

PERRICHON. Que voulez-vous ? j'ai été trop vif ... un
homme si poli ! ... Je l'ai pris pour un notaire gradé ![3]

DANIEL. Que faire ?

PERRICHON. Il faudrait trouver un moyen ... (*Poussant*
20 *un cri.*) Ah ! ...

DANIEL. Quoi ?

PERRICHON. Rien ! rien ! Il n'y a pas de moyen ! je l'ai
insulté, je me battrai ! ... Adieu ! ...

DANIEL. Où allez-vous ?

25 PERRICHON. Mettre mes affaires en ordre ... vous comprenez ...

DANIEL. Mais cependant ...

PERRICHON. Daniel ... quand sonnera l'heure du danger
vous ne me verrez pas faiblir ! (*Il sort à droite.*)

SCÈNE XI

DANIEL, *seul.*

Allons donc ! . . . c'est impossible ! . . . je ne peux pas
laisser battre M. Perrichon avec un zouave ! . . . c'est qu'il a
du cœur, le beau-père ! . . . je le connais, il ne fera pas de
concessions . . . de son côté le commandant . . . et tout 5
cela pour une faute d'orthographe ! (*Cherchant.*) Voyons
donc ? . . . si je prévenais l'autorité ? oh ! non ! . . . au fait,[1]
pourquoi pas ? personne ne le saura. D'ailleurs, je n'ai pas
le choix des moyens . . . (*Il prend un buvard et un encrier
sur une table, près de la porte d'entrée, et se place au guéri-* 10
don.) Une lettre au préfet de police ![2] . . . (*Écrivant.*)
Monsieur le Préfet . . . j'ai l'honneur de . . . (*Parlant tout
en écrivant.*) Une ronde passera par là à point nommé [3] . . .
le hasard aura tout fait . . . et l'honneur sera sauf. (*Il plie
et cachète sa lettre et remet en place ce qu'il a pris.*) 15
Maintenant, il s'agit de la faire porter tout de suite . . . Jean
doit être là ! (*Il sort en appelant.*) Jean ! Jean ! (*Il disparaît dans l'antichambre.*)

SCÈNE XII

PERRICHON, *seul.*

*Il entre en tenant une lettre à la main. Il la
lit.* "Monsieur le Préfet, je crois devoir prévenir l'au- 20
torité que deux insensés ont l'intention de croiser le fer [4]
demain, à midi moins un quart . . ." (*Parlé.*) Je mets
moins un quart afin qu'on soit exact. Il suffit quelquefois
d'un quart d'heure ! . . . (*Reprenant sa lecture.*) "A midi
moins un quart . . . dans les bois de la Malmaison. Le 25
rendez-vous est à la porte du garde . . . Il appartient à votre

haute administration de veiller sur la vie des citoyens. Un
des combattants est un ancien commerçant, père de famille,
dévoué à nos institutions et jouissant d'une bonne notoriété
dans son quartier. Veuillez agréer,¹ Monsieur le Préfet, etc.
5 etc. . . ." S'il croit me faire peur ce commandant ! . . .
maintenant l'adresse . . . (*Il écrit*). Très pressé, communication importante . . . comme ça, ça arrivera . . . Où est
Jean ?

SCÈNE XIII

PERRICHON, DANIEL, *puis* MADAME PERRICHON, HENRIETTE,
10   *puis* JEAN.

DANIEL, *entrant par le fond, sa lettre à la main.* Impossible de trouver ce domestique. (*Apercevant Perrichon.*)
Oh ! (*Il cache sa lettre.*)

PERRICHON. Daniel ! (*Il cache aussi sa lettre.*)

15 DANIEL. Eh bien ! monsieur Perrichon.

PERRICHON. Vous voyez . . . je suis calme . . . comme le
bronze ! (*Apercevant sa femme et sa fille.*) Ma femme,
silence ! (*Il descend.*)

MADAME PERRICHON *à son mari.* Mon ami, le maître
20 de piano d'Henriette vient de nous envoyer des billets de
concert pour demain . . . midi . . .

PERRICHON, *à part.* Midi !

HENRIETTE. C'est à son bénéfice, tu nous accompagneras ?

PERRICHON. Impossible ! demain, ma journée est prise !

25 MADAME PERRICHON. Mais tu n'as rien à faire . . .

PERRICHON. Si . . . j'ai une affaire . . . très importante . .
demande à Daniel.

DANIEL. Très importante !

MADAME PERRICHON. Quel air sérieux ! (*A son mari.*)
30 Tu as la figure longue d'une aune ² ; on dirait que tu as peur.

PERRICHON. Moi? peur! On me verra sur le terrain!

DANIEL, *à part.* Aïe!

MADAME PERRICHON. Le terrain!

PERRICHON, *à part.* Sapristi! ça m'a échappé!

HENRIETTE, *courant à lui.* Un duel! papa!   5

PERRICHON. Eh bien! oui, mon enfant, je ne voulais pas
te le dire, ça m'a échappé, ton père se bat!...

MADAME PERRICHON. Mais avec qui?

PERRICHON. Avec un commandant au deuxieme zouaves!

MADAME PERRICHON *et* HENRIETTE, *effrayées.* Ah! grand 10
Dieu!¹

PERRICHON. Demain, à midi, dans le bois de la Malmaison, à la porte du garde!

MADAME PERRICHON, *allant à lui.* Mais tu es fou...
toi! un bourgeois!   15

PERRICHON. Madame Perrichon, je blâme le duel...
mais il y a des circonstances où l'homme se doit à son
honneur! (*A part, montrant sa lettre.*) Où est donc Jean?

MADAME PERRICHON, *à part.* Non! c'est impossible! je
ne souffrirai pas... (*Elle va à la table au fond et écrit à* 20
part.) Monsieur le préfet de police...

JEAN, *paraissant.* Le dîner est servi!

PERRICHON, *s'approchant de Jean et bas.* Cette lettre à
son adresse, c'est très pressé! (*Il s'éloigne.*)

DANIEL, *bas à Jean.* Cette lettre à son adresse... c'est 25
très pressé! (*Il s'éloigne.*)

MADAME PERRICHON, *bas à Jean.* Cette lettre à son
adresse... c'est très pressé!

PERRICHON. Allons! à table!

HENRIETTE, *à part.* Je vais faire prévenir monsieur 30
Armand. (*Elle entre à droite.*)

MADAME PERRICHON, *à Jean avant de sortir.*   Chut!

DANIEL, *de même.*   Chut!

PERRICHON, *de même.*   Chut!   (*Ils disparaissent tous les trois.*)

5   JEAN, *seul.*   Quel est ce mystère?   (*Lisant l'adresse des trois lettres.*)   Monsieur le préfet . . . Monsieur le préfet . . . Monsieur le préfet . . . (*Etonné, et avec joie.*)   Tiens! il n'y a qu'une course!

ACTE QUATRIÈME

Un jardin. — Bancs, chaises, table rustique; à droite un pavillon praticable.[1]

SCÈNE I

DANIEL, *puis* PERRICHON.

DANIEL, *entrant par le fond à gauche.* Dix heures! le
rendez-vous n'est que pour midi. (*Il s'approche du pavil-* 5
lon et fait signe.) Psit[2] psit!

PERRICHON, *passant la tête à la porte du pavillon.* Ah!
c'est vous . . . ne faites pas de bruit . . . dans une minute je
suis à vous. (*Il rentre.*)

DANIEL, *seul.* Ce pauvre monsieur Perrichon! il a dû 10
passer une bien mauvaise nuit . . . heureusement ce duel
n'aura pas lieu.

PERRICHON, *sortant du pavillon avec un grand manteau.*
Me voici . . . je vous attendais . . .

DANIEL. Comment vous trouvez-vous? 15

PERRICHON. Calme comme le bronze!

DANIEL. J'ai des épées dans la voiture.

PERRICHON, *entr'ouvrant son manteau.* Moi, j'en ai là.

DANIEL. Deux paires!

PERRICHON. Une peut casser . . . je ne veux pas me 20
trouver dans l'embarras.

DANIEL, *à part.* Décidément, c'est un lion! . . . (*Haut.*)
Le fiacre est à la porte . . . si vous voulez. . .

PERRICHON. Un instant! Quelle heure est-il?

DANIEL. Dix heures! 25

PERRICHON.   Je ne veux pas arriver avant midi . . . **ni** après. (*A part.*) Ça ferait tout manquer.

DANIEL.   Vous avez raison . . . pourvu qu'on soit à l'heure. (*A part.*)   Ça ferait tout manquer.

5   PERRICHON.   Arriver avant . . . c'est de la fanfaronnade . . . après, c'est de l'hésitation ; d'ailleurs, j'attends Majorin . . . je lui ai écrit hier soir un mot pressant.

DANIEL.   Ah ! le voici.

SCÈNE II

LES MÊMES, MAJORIN.

10   MAJORIN.   J'ai reçu ton billet, j'ai demandé un congé . . . de quoi s'agit-il ?

PERRICHON.   Majorin . . . je me bats dans deux heures ! . . .

MAJORIN.   Toi ? allons donc ! et avec quoi ?

PERRICHON, *ouvrant son manteau et laissant voir ses épées.*
15 Avec ceci.

MAJORIN.   Des épées !

PERRICHON.   Et j'ai compté sur toi pour être mon second. (*Daniel remonte.*)

MAJORIN.   Sur moi ? permets, mon ami, c'est impossible !

20   PERRICHON.   Pourquoi ?

MAJORIN.   Il faut que j'aille à mon bureau . . . je me ferais destituer.

PERRICHON.   Puisque tu as demandé un congé.

MAJORIN.   Pas pour être témoin ! . . . On leur fait des
25 procès[1] aux témoins !

PERRICHON.   Il me semble, monsieur Majorin, que je vous ai rendu assez de services pour que vous ne refusiez pas de m'assister dans une circonstance capitale de ma vie.

MAJORIN, *à part.*   Il me reproche ses six cents francs !

PERRICHON. Mais si vous craignez de vous compromettre . . . si vous avez peur.

MAJORIN. Je n'ai pas peur . . . (*Avec amertume.*) D'ailleurs je ne suis pas libre . . . tu as su m'enchaîner par les
liens de la reconnaissance. (*Grinçant.*) Ah ! la recon- 5
naissance !

DANIEL, *à part.* Encore un ! [1]

MAJORIN. Je ne te demande qu'une chose . . . c'est
d'être de retour à deux heures . . . pour toucher mon dividende . . . je te rembourserai immédiatement et alors . . . 10
nous serons quittes ! . . .

DANIEL. Je crois qu'il est temps de partir. (*A Perrichon.*) Si vous désirez faire vos adieux à madame Perrichon
et à votre fille . . .

PERRICHON. Non ! je veux éviter cette scène . . . ce 15
serait des pleurs, des cris . . . elles s'attacheraient à mes
habits pour me retenir . . . partons ! (*On entend chanter
dans la coulisse.*) Ma fille.

SCÈNE III

LES MÊMES, HENRIETTE, *puis* MADAME PERRICHON.

HENRIETTE, *entrant en chantant, et un arrosoir à la main.* 20
Tra la la ! tra la la ! (*Parlé.*) Ah ! c'est toi, mon petit
papa . . .

PERRICHON. Oui . . . tu vois . . . nous partons . . . avec
ces deux messieurs . . . il le faut . . . (*Il l'embrasse avec
émotion.*) Adieu ! 25

HENRIETTE, *tranquillement.* Adieu, papa. (*A part.*) Il
n'y a rien à craindre, maman a prévenu le préfet de police
. . . et moi, j'ai prévenu monsieur Armand. (*Elle va arroser les fleurs.*)

PERRICHON, *s'essuyant les yeux et la croyant près de lui.*
Allons ! ne pleure pas ! . . . si tu ne me revois pas . . . songe
. . . (*S'arrêtant.*)   Tiens ! elle arrose !

MAJORIN, *à part.*   Ça me révolte ! mais c'est bien fait ! [1]

5 MADAME PERRICHON, *entrant avec des fleurs à la main,
à son mari.*   Mon ami . . . peut-on couper quelques dahlias ?

PERRICHON.   Ma femme !

MADAME PERRICHON.   Je cueille un bouquet pour mes
vases.

10 PERRICHON.   Cueille . . . dans un pareil moment je n'ai
rien à te refuser . . . je vais partir.   Caroline.

MADAME PERRICHON, *tranquillement.*   Ah ! tu vas là-bas.

PERRICHON.   Oui . . . je vais . . . là-bas, avec ces deux
messieurs.

15 MADAME PERRICHON.   Allons ! tâche d'être revenu pour
dîner.

PERRICHON *et* MAJORIN.   Hein ?

PERRICHON, *à part.*   Cette tranquillité . . . est-ce que ma
femme ne m'aimerait pas ?

20 MAJORIN, *à part.*   Tous les Perrichon manquent de cœur !
c'est bien fait !

DANIEL.   Il est l'heure . . . si vous voulez être au rendez-
vous à midi.

PERRICHON, *vivement.*   Précis !

25 MADAME PERRICHON, *vivement.*   Précis ! vous n'avez pas
de temps à perdre.

HENRIETTE.   Dépêche-toi, papa.

PERRICHON.   Oui . . .

MAJORIN, *à part.*   Ce sont elles qui le renvoient !   Quelle
30 jolie famille !

PERRICHON.   Allons ! Caroline ! ma fille ! adieu ! adieu !
(*Ils remontent.*)

SCÈNE IV

Les Mêmes, Armand.

ARMAND, *paraissant au fond.* Restez, monsieur Perrichon, le duel n'aura pas lieu.

TOUS. Comment?

HENRIETTE, *à part.* Monsieur Armand! j'étais bien sûre 5
de lui!

MADAME PERRICHON, *à Armand.* Mais expliquez-nous ...

ARMAND. C'est bien simple ... je viens de faire mettre
à Clichy le commandant Mathieu.

TOUS. A Clichy? 10

DANIEL, *à part.* Il est très actif, mon rival!

ARMAND. Oui ... cela avait été convenu depuis un mois
entre le commandant et moi ... et je ne pouvais trouver
une meilleure occasion de lui être agréable... (*A Perrichon.*) et de vous en débarrasser! 15

MADAME PERRICHON, *à Armand.* Ah! monsieur, que
de [1] reconnaissance ...

HENRIETTE, *bas.* Vous êtes notre sauveur!

PERRICHON, *à part.* Eh bien! je suis contrarié de ça ...
j'avais si bien arrangé ma petite affaire ... A midi moins 20
un quart on nous mettait la main dessus.[2]

MADAME PERRICHON, *allant à son mari.* Remercie donc.

PERRICHON. Qui ça?[3]

MADAME PERRICHON. Eh bien! monsieur Armand.

PERRICHON. Ah! oui. (*A Armand sèchement.*) Mon- 25
sieur, je vous remercie.

MAJORIN, *à part.* On dirait que ça l'étrangle. (*Haut.*)
Je vais toucher mon dividende. (*A Daniel.*) Croyez-vous
que la caisse soit ouverte?

DANIEL.   Oui sans doute.   J'ai une voiture, je vais vous
conduire.   Monsieur Perrichon, nous nous reverrons ; vous
avez une réponse à me donner.

MADAME PERRICHON, *bas à Armand*.   Restez.   Perri-
5 chon a promis de se prononcer aujourd'hui : le moment est
favorable, faites votre demande.

ARMAND.   Vous croyez ? . . . c'est que . . .

HENRIETTE, *bas*.   Courage, monsieur Armand.

ARMAND.   Vous ! oh ! quel bonheur !

10 MAJORIN.   Adieu, Perrichon.

DANIEL, *saluant*.   Madame . . . mademoiselle.   (*Henriette et madame Perrichon sortent par la droite ; Majorin et
Daniel par le fond, à gauche.*)

SCÈNE V

PERRICHON, ARMAND, *puis* JEAN *et le* COMMANDANT.

15 PERRICHON, *à part*.   Je suis très contrarié . . . très contrarié ! . . . j'ai passé une partie de la nuit à écrire à mes
amis que je me battais . . . je vais être ridicule.

ARMAND, *à part*.   Il doit être bien disposé . . . Essayons.
(*Haut.*)   Mon cher monsieur Perrichon . . .

20 PERRICHON, *sèchement*.   Monsieur ?

ARMAND.   Je suis plus heureux que je ne puis le dire d'a-
voir pu terminer cette désagréable affaire.

PERRICHON, *à part*.   Toujours son petit air protecteur !
(*Haut.*)   Quant à moi, monsieur, je regrette que vous
25 m'ayez privé du plaisir de donner une leçon à ce professeur
de grammaire !

ARMAND.   Comment ? mais vous ignorez donc que votre
adversaire . . .

PERRICHON.   Est un ex-commandant au deuxième zouaves

... Eh bien? ... après?[1] J'estime l'armée, mais je suis de ceux qui savent la regarder en face. (*Il passe fièrement devant lui.*)

JEAN, *paraissant et annonçant.* Le commandant Mathieu.

PERRICHON. Hein?   5

ARMAND. Lui !

PERRICHON. Vous me disiez qu'il était en prison !

LE COMMANDANT, *entrant.* J'y étais, en effet, mais j'en suis sorti. (*Apercevant Armand.*) Ah ! monsieur Armand ! je viens de consigner[2] le montant du billet que je 10 vous dois, plus les frais ...

ARMAND. Très bien, commandant ... Je pense que vous ne me gardez pas rancune ... vous paraissiez si désireux d'aller à Clichy.

LE COMMANDANT. Oui, j'aime Clichy ... mais pas les 15 jours où je dois me battre. (*A Perrichon.*) Je suis désolé, monsieur, de vous avoir fait attendre ... Je suis à vos ordres.

JEAN, *à part.* Oh ! ce pauvre bourgeois !

PERRICHON. Je pense, monsieur, que vous me rendrez la justice de croire que je suis tout à fait étranger à[3] l'incident 20 qui vient de se produire.

ARMAND. Tout à fait ! car à l'instant même, monsieur me manifestait ses regrets de ne pouvoir se rencontrer avec vous.

LE COMMANDANT, *à Perrichon.* Je n'ai jamais douté, monsieur, que vous ne fussiez un loyal adversaire.   25

PERRICHON, *avec hauteur.* Je me plais à l'espérer, monsieur.

JEAN, *à part.* Il est très solide, le bourgeois.

LE COMMANDANT. Mes témoins sont à la porte ... partons !   30

PERRICHON. Partons !

LE COMMANDANT, *tirant sa montre.*   Il est midi.

PERRICHON, *à part.*   Midi ! . . . déjà !

LE COMMANDANT.   Nous serons là-bas à deux heures.

PERRICHON, *à part.*   Deux heures ! ils seront partis.

5   ARMAND.   Qu'avez-vous donc ?

PERRICHON.   J'ai . . . j'ai . . . messieurs, j'ai toujours pensé qu'il y avait quelque noblesse à reconnaître ses torts.

LE COMMANDANT *et* JEAN, *étonnés.*   Hein ?

ARMAND.   Que dit-il ?

10   PERRICHON.   Jean . . . laisse-nous !

ARMAND.   Je me retire aussi . . .

LE COMMANDANT.   Oh ! pardon ! je désire que tout ceci se passe devant témoins.

ARMAND.   Mais . . .

15   LE COMMANDANT.   Je vous prie de rester.

PERRICHON.   Commandant . . . vous êtes un brave militaire . . . et moi . . . j'aime les militaires ! [1]   Je reconnais que j'ai eu des torts envers vous . . . et je vous prie de croire que . . . (*A part.*) Sapristi ! devant mon domesti-
20 que ? (*Haut.*) Je vous prie de croire qu'il n'était ni dans mes intentions . . . (*Il fait signe de sortir à Jean, qui a l'air de ne pas le comprendre. A part.*) Ça m'est égal, je le mettrai à la porte [2] ce soir. (*Haut.*) Ni dans ma pensée . . . d'offenser un homme que j'estime et que j'honore !

25   JEAN, *à part.*   Il canne,[3] le patron ! [4]

LE COMMANDANT.   Alors, monsieur, ce sont des excuses.

ARMAND, *vivement.*   Oh ! des regrets ! . . .

PERRICHON.   N'envenimez pas ! n'envenimez pas ! laissez parler le commandant.

30   LE COMMANDANT.   Sont-ce des regrets ou des excuses ?

PERRICHON, *hésitant.*   Mais . . . moitié l'un . . . moitié l'autre . . .

LE COMMANDANT   Monsieur, vous avez écrit en toutes lettres sur le livre de Montanvert ... le commandant est un ...

PERRICHON, *vivement*.   Je retire le mot ! il est retiré !

LE COMMANDANT.   Il est retiré ... ici ... mais là-bas ! 5 il s'épanouit au beau milieu [1] d'une page que tous les voyageurs peuvent lire.

PERRICHON.   Ah ! dame ! [2] pour ça ! à moins que je ne retourne moi-même l'effacer.

LE COMMANDANT.   Je n'osais pas vous le demander, mais 10 puisque vous me l'offrez ...

PERRICHON.   Moi ?

LE COMMANDANT.   J'accepte.

PERRICHON.   Permettez ...

LE COMMANDANT.   Oh ! je ne vous demande pas de re- 15 partir aujourd'hui ... non ! ... mais demain.

PERRICHON *et* ARMAND.   Comment ?

LE COMMANDANT.   Comment ? Par le premier convoi, et vous bifferez vous-même, de bonne grâce, les deux méchantes lignes échappées à votre improvisation ... ça m'o- 20 bligera.

PERRICHON.   Oui ... comme ça ... il faut que je retourne en Suisse ?

LE COMMANDANT.   D'abord, le Montanvert était en Savoie [3] ... maintenant c'est la France !   25

PERRICHON.   La France, reine des nations !

JEAN.   C'est bien moins loin !

LE COMMANDANT, *ironiquement*.   Il ne me reste plus qu'à rendre hommage à vos sentiments de conciliation.

PERRICHON.   Je n'aime pas à verser le sang !   30

LE COMMANDANT, *riant*.   Je me déclare complètement

satisfait. (*A Armand.*)   Monsieur Desroches, j'ai encore
quelques billets [1] en circulation, s'il vous en passe un par les
mains, je me recommande toujours à vous! (*Saluant.*)
Messieurs, j'ai bien l'honneur de vous saluer!

5   PERRICHON, *saluant.*   Commandant . . . (*Le commandant
sort.*)

JEAN, *à Perrichon, tristement.*   Eh bien! monsieur . . .
voilà votre affaire arrangée.

PERRICHON, *éclatant.*   Toi, je te donne ton compte! [2] va
10 faire tes paquets, animal.

JEAN, *stupéfait.*   Ah! bah! qu'est-ce que j'ai fait! (*Il
sort à droite.*)

SCÈNE VI

ARMAND, PERRICHON.

PERRICHON, *à part.*   Il n'y a pas à dire . . . j'ai fait des
15 excuses! moi! dont on verra le portrait au Musée . . . mais
à qui la faute? à ce M. Armand!

ARMAND, *à part, au fond.*   Pauvre homme! je ne sais
que lui dire.

PERRICHON, *à part.*   Ah! çà, est-ce qu'il ne va pas s'en
20 aller? [3]   Il a peut-être encore quelque service à me
rendre . . . Ils sont jolis, ses services!

ARMAND.   Monsieur Perrichon!

PERRICHON.   Monsieur?

ARMAND.   Hier, en vous quittant, je suis allé chez mon
25 ami . . . l'employé à l'administration des douanes . . . Je lui
ai parlé de votre affaire.

PERRICHON, *sèchement.*   Vous êtes trop bon.

ARMAND.   C'est arrangé! . . . on ne donnera pas suite au
procès. [4]

PERRICHON. Ah !

ARMAND. Seulement, vous écrirez au douanier quelques mots de regrets.

PERRICHON, *éclatant*. C'est ça ! des excuses ! encore des excuses ! . . . De quoi vous mêlez-vous, à la fin ?[1]

ARMAND. Mais . . .

PERRICHON. Est-ce que vous ne perdrez pas l'habitude de vous fourrer[2] à chaque instant dans ma vie ?

ARMAND. Comment ?

PERRICHON. Oui, vous touchez à tout ! Qui est-ce qui 10 vous a prié de faire arrêter le commandant ? Sans vous, nous étions tous là-bas, à midi !

ARMAND. Mais rien ne vous empêchait d'y être à deux heures.

PERRICHON. Ce n'est pas la même chose. 15

ARMAND. Pourquoi ?

PERRICHON. Vous me demandez pourquoi ? Parce que . . . non ! Vous ne saurez pas pourquoi ! (*Avec colère*.) Assez de services, monsieur ! assez de services ! Désormais, si je tombe dans un trou, je vous prie de m'y laisser ! 20 j'aime mieux donner cent francs au guide . . . car ça coûte cent francs . . . il n'y a pas de quoi être si fier ! Je vous prierai aussi de ne plus changer les heures de mes duels, et de me laisser aller en prison si c'est ma fantaisie.

ARMAND. Mais, monsieur Perrichon. . . 25

PERRICHON. Je n'aime pas les gens qui s'imposent . . . c'est de l'indiscrétion ! Vous m'envahissez ! . . .

ARMAND. Permettez . . .

PERRICHON. Non, monsieur ! on ne me domine pas, moi ! Assez de services ! assez de services ! (*Il sort par* 30 *le pavillon*.)

SCÈNE VII

ARMAND, *puis* HENRIETTE.

ARMAND, *seul.* Je n'y comprends plus rien . . . je suis abasourdi !

HENRIETTE, *entrant par la droite, au fond.* Ah ! mon-
5 sieur Armand.

ARMAND. Mademoiselle Henriette !

HENRIETTE. Avez-vous causé avec papa ?

ARMAND. Oui, mademoiselle.

HENRIETTE. Eh bien ?

10 ARMAND. Je viens d'acquérir la preuve de sa parfaite antipathie.

HENRIETTE. Que dites-vous là ? C'est impossible.

ARMAND. Il a été jusqu'à me reprocher de l'avoir sauvé au Montanvert . . . J'ai cru qu'il allait m'offrir cent francs
15 de récompense.

HENRIETTE. Cent francs ! Par exemple ! [1]

ARMAND. Il dit que c'est le prix ! . . .

HENRIETTE. Mais c'est horrible ! . . . c'est de l'ingratitude ! . . .

20 ARMAND. J'ai senti que ma présence le froissait, le blessait . . . et je n'ai plus, mademoiselle, qu'à vous faire mes adieux.

HENIRETTE, *vivement.* Mais, pas du tout ! restez !

ARMAND. A quoi bon ? c'est à Daniel qu'il réserve votre main.

25 HENRIETTE. Monsieur Daniel ? . . . mais je ne veux pas !

ARMAND, *avec joie.* Ah !

HENRIETTE, *se reprenant.* Ma mère ne veut pas ! elle ne partage pas les sentiments de papa ; elle est reconnaissante, elle ; elle vous aime . . . Tout à l'heure elle me disait en-

core : Monsieur Armand est un honnête homme . . . un
homme de cœur, et ce que j'ai de plus cher au monde, je
le lui donnerais [1] . . .

ARMAND.   Mais, ce qu'elle a de plus cher . . . c'est vous !

HENRIETTE, *naïvement*.   Je le crois.   5

ARMAND.   Ah ! mademoiselle, que je vous remercie !

HENRIETTE.   Mais, c'est maman qu'il faut remercier.

ARMAND.   Et vous, mademoiselle, me permettez-vous
d'espérer que vous aurez pour moi la même bienveillance ?

HENRIETTE, *embarrassée*.   Moi, monsieur ? . . .   10

ARMAND.   Oh ! parlez ! je vous en supplie . . .

HENRIETTE, *baissant les yeux*.   Monsieur, lorsqu'une
demoiselle est bien élevée, elle pense toujours comme sa
maman.   (*Elle se sauve.*)

SCÈNE VIII

ARMAND, *puis* DANIEL.   15

ARMAND, *seul*.   Elle m'aime ! elle me l'a dit ! . . . Ah ! je
suis trop heureux ! . . . ah ! . . .

DANIEL, *entrant*.   Bonjour, Armand.

ARMAND.   C'est vous . . . (*A part.*)   Pauvre garçon !

DANIEL.   Voici l'heure de la philosophie [2] . . . Monsieur 20
Perrichon se recueille . . . et dans dix minutes nous allons
connaître sa réponse.   Mon pauvre ami !

ARMAND.   Quoi donc ?

DANIEL.   Dans la campagne que nous venons de faire,
vous avez commis fautes sur fautes . . .   25

ARMAND, *étonné*.   Moi ?

DANIEL   Tenez, je vous aime, Armand . . . et je veux
vous donner un bon avis qui vous servira . . . pour une autre
fois ! vous avez un défaut mortel !

ARMAND.   Lequel?

DANIEL.   Vous aimez trop à rendre service . . . c'est une
passion malheureuse !

ARMAND, *riant*.   Ah ! par exemple !

5   DANIEL.   Croyez-moi . . . j'ai vécu plus que vous, et dans
un monde . . . plus avancé ! [1]   Avant d'obliger un homme, as-
surez-vous bien d'abord que cet homme n'est pas un imbécile.

ARMAND.   Pourquoi?

DANIEL.   Parce qu'un imbécile est incapable de supporter
10   longtemps cette charge écrasante qu'on appelle la reconnaissance ; il y a même des gens d'esprit qui sont d'une
constitution si délicate . . .

ARMAND, *riant*.   Allons ! développez votre paradoxe !

DANIEL.   Voulez-vous un exemple : monsieur Perri-
15   chon . . .

PERRICHON, *passant sa tête à la porte du pavillon*.   Mon
nom !

DANIEL.   Vous me permettrez de ne pas le ranger dans
la catégorie des hommes supérieurs. (*Perrichon disparaît.*)

20   DANIEL.   Eh bien ! monsieur Perrichon vous a pris tout
doucement en grippe.[2]

ARMAND.   J'en ai bien peur.

DANIEL.   Et pourtant vous lui avez sauvé la vie. Vous
croyez peut-être que ce souvenir lui rappelle un grand acte
25   de dévouement?   Non ! il lui rappelle trois choses : Primo,[3]
qu'il ne sait pas monter à cheval ; secundo, qu'il a eu tort
de mettre des éperons, malgré l'avis de sa femme ; tertio,
qu'il a fait en public une culbute ridicule . . .

ARMAND.   Soit, mais . .

30   DANIEL.   Et comme il fallait un bouquet à ce beau feu
d'artifice,[4] vous lui avez démontré, comme [5] deux et deux

font quatre, que vous ne faisiez aucun cas de [1] son courage, en empêchant un duel . . . qui n'aurait pas eu lieu.

ARMAND. Comment?

DANIEL. J'avais pris mes mesures . . . Je rends aussi quelquefois des services . . . 5

ARMAND. Ah! vous voyez bien!

DANIEL. Oui, mais moi, je cache . . . je me masque! Quand je pénètre dans la misère de mon semblable, c'est avec des chaussons et sans lumière . . . comme dans une poudrière! D'où je conclus . . . 10

ARMAND. Qu'il ne faut obliger personne?

DANIEL. Oh! non! mais il faut opérer nuitamment et choisir sa victime! D'où je conclus que ledit [2] Perrichon vous déteste; votre présence l'humilie, il est votre obligé, votre inférieur! vous l'écrasez, cet homme! 15

ARMAND. Mais c'est de l'ingratitude! . . .

DANIEL. L'ingratitude est une variété de l'orgueil . . . C'est l'indépendance du cœur, a dit un aimable philosophe.[3] Or, monsieur Perrichon est le carrossier le plus indépendant de la carrosserie française! J'ai flairé cela tout de 20 suite . . . Aussi ai-je suivi une marche tout à fait opposée à la vôtre.

ARMAND. Laquelle?

DANIEL. Je me suis laissé glisser . . . exprès! dans une petite crevasse . . . pas méchante. 25

ARMAND. Exprès?

DANIEL. Vous ne comprenez pas? Donner à un carrossier l'occasion de sauver son semblable, sans danger pour lui, c'est un coup de maître! Aussi, depuis ce jour, je suis sa joie, son triomphe, son fait d'armes! [4] Dès que je parais, 30 sa figure s'épanouit, son estomac se gonfle, il lui pousse des

plumes de paon ! dans sa redingote . . . Je le tiens ! comme
la vanité tient l'homme . . . Quand il se refroidit, je le ra-
nime, je le souffle [1] . . . je l'imprime [2] dans le journal . . . à
trois francs la ligne !

5   ARMAND.   Ah bah ! c'est vous ?

   DANIEL.   Parbleu ! Demain je le fais peindre à l'huile
. . . en tête-à-tête avec le mont Blanc ! J'ai demandé un
tout petit mont Blanc et un immense Perrichon ! Enfin,
mon ami, retenez bien ceci . . . et surtout gardez-moi le
10 secret : les hommes ne s'attachent point à nous en raison
des services que nous leur rendons, mais en raison de ceux
qu'ils nous rendent !

   ARMAND.   Les hommes . . . c'est possible . . . mais les
femmes !

15   DANIEL.   Eh bien ! les femmes . . .

   ARMAND.   Elles comprennent la reconnaissance, elles savent garder au fond du cœur le souvenir du bienfait.

   DANIEL.   Dieu ! la [3] jolie phrase !

   ARMAND.   Heureusement, madame Perrichon ne partage
20 pas les sentiments de son mari.

   DANIEL.   La maman est peut-être pour vous . . . mais
j'ai pour moi l'orgueil du papa . . . du haut du Montanvert
ma crevasse me protège !

SCÈNE IX

LES MÊMES, PERRICHON, MADAME PERRICHON, HENRIETTE.

25   PERRICHON, *entrant accompagné de sa femme et de sa fille,
il est très grave.*   Messieurs, je suis heureux de vous trouver
ensemble . . . vous m'avez fait tous deux l'honneur de me
demander la main de ma fille . . . vous allez connaître ma
décision . . .

Armand, *à part* Voici le moment.

Perrichon, *à Daniel souriant.* Monsieur Daniel...
mon ami !

Armand, *à part.* Je suis perdu !

Perrichon. J'ai déjà fait beaucoup pour vous...je 5
veux faire plus encore... Je veux vous donner...

Daniel, *remerciant.* Ah ! monsieur !

Perrichon, *froidement.* Un conseil...(*Bas.*) Parlez
moins haut quand vous serez près d'une porte.

Daniel, *étonné.* Ah ! bah !   10

Perrichon. Oui...je vous remercie de la leçon.
(*Haut.*) Monsieur Armand...vous avez moins vécu [1] que
votre ami...vous calculez moins, mais vous me plaisez
davantage...je vous donne ma fille...

Armand. Ah ! monsieur !...   15

Perrichon. Et remarquez que je ne cherche pas à m'acquitter envers vous...je désire rester votre obligé...
(*Regardant Daniel.*) car il n'y a que les imbéciles qui ne
savent pas supporter cette charge écrasante qu'on appelle la
reconnaissance. (*Il se dirige vers la droite, madame Perri-* 20
chon fait passer sa fille du côté d'Armand, qui lui donne le
bras.)

Daniel, *à part.* Attrape ! [2]

Armand, *à part.* Oh ! ce pauvre Daniel !

Daniel. Je suis battu ! (*A Armand.*) Après comme 25
avant, donnons-nous la main.

Armand. Oh ! de grand cœur !

Daniel, *allant à Perrichon.* Ah ! monsieur Perrichon,
vous écoutez aux portes !

Perrichon. Eh ! mon Dieu ! un père doit chercher à 30
s'éclairer...(*Le prenant à part.*) Voyons là...vrai-
ment, est-ce que vous vous y êtes jeté exprès ?

DANIEL. Où ça?

PERRICHON. Dans le trou?

DANIEL. Oui . . . mais je ne le dirai à personne.

PERRICHON. Je vous en prie. (*Poignées de main.*)

SCÈNE X

5   LES MÊMES, MAJORIN.

MAJORIN. Monsieur Perrichon, j'ai touché mon dividende à trois heures . . . et j'ai gardé la voiture de monsieur pour vous rapporter plus tôt vos six cents francs . . . les voici !

10   PERRICHON. Mais cela ne pressait pas.

MAJORIN. Pardon, cela pressait . . . considérablement : maintenant nous sommes quittes . . . complètement quittes.

PERRICHON, *à part.* Quand je pense que j'ai été comme ça ! . . .

15   MAJORIN, *à Daniel.* Voici le numéro¹ de votre voiture, il y a sept quarts d'heure. (*Il lui donne une carte.*)

PERRICHON. Monsieur Armand, nous resterons chez nous demain soir . . . et si vous voulez nous faire plaisir, vous viendrez prendre une tasse de thé . . .

20   ARMAND, *courant à Perrichon, bas.* Demain ! vous n'y pensez pas . . et votre promesse au commandant ! (*Il retourne près d'Henriette.*)

PERRICHON. Ah ! c'est juste ! (*Haut.*) Ma femme . . . ma fille . . . nous repartons demain matin pour la mer de
25 Glace.

HENRIETTE, *étonnée.* Hein?

MADAME PERRICHON. Ah ! par exemple ! nous en arrivons ! pourquoi y retourner?

PERRICHON. Pourquoi? peux-tu le demander? tu ne devines pas que je veux revoir l'endroit où Armand m'a sauvé.

MADAME PERRICHON.   Cependant . . .

PERRICHON.   Assez ! ce voyage m'est commandant [1] . . . (*se reprenant*) commandé par la reconnaissance !

NOTES

ACT I: SCENE I.

Page 3. — 1. **Chemin de fer de Lyon**; the Paris-Lyons-Mediterranean Railway, having nearly 5600 miles of main line and branches, is the chief railway system of France. It connects Paris with Marseilles, the Rhône Valley, Switzerland, Italy and Southern Germany. Other great systems are the Orleans (4,500 miles), Western (3,700 miles), Eastern (2,800 miles), Northern (2,360 miles) and Southern (2,200 miles).

2. **fond**, *background of the scene*, rear of the stage. Actors are said to *remonter* when they go toward the back of the stage and to *descendre* toward the front (*en scène* or *vers la rampe*). — *Plans* numbered from front to back designate lateral divisions of the stage. The side scenes, "wings," and also the spaces between them are called *coulisses*. Persons behind the *coulisses* are said to be *à la cantonade*. The rear corners of the stage are called *angles*. A serviceable piece of scenery, a door that can be opened, a tree that can be climbed, etc., is called *praticable*. — **barrière**, where travellers must show tickets before they can enter the waiting-rooms (*salles d'attente*).

3. **employé**, *employee*, to be distinguished from *facteur* (line 24) "railway porter" and *commissionnaire* "public porter."

4. **voilà une**, expresses impatience, *it's a whole*, etc.

5. **bien**, intensive, emphasizing *aujourd'hui*.

6. **carrossiers**; the social position of the manufacturing and mercantile classes had advanced under Louis Philippe (1830–1848) and the Second Empire. Their wealth had grown faster than their culture. Hence Majorin's jealous sneer would seem to have more point in 1860 than now.

7. **quarante mille livres de rentes**; *livre*, like *sou* and *louis*, is

properly a coin struck before the Revolution; since then the official names of the coins are *franc* (about 20 cents) and *centime* (1-5 cent). But in popular speech *sou* (5 centimes) is nearly universal; *livre* is used for *franc* in speaking of income, and *louis* is an aristocratic word for the 20 *franc* piece, somewhat as "guinea" is used in England. That such an income should seem large to Majorin marks once more the epoch.

8. Note the anti-climax, that a carriage maker should presume to keep a carriage, and the omission of the article.

9. **deux mille quatre cents francs,** about $480, a fairly good clerk's salary for 1860.

10. **de garde,** *summoned for militia duty.* Note how speedily Majorin gives the lie to his self-praise. The *Gardes Nationaux* are a frequent subject of fun in the lighter literature of the Second Empire. They were abolished in 1871.

11. **Il va prendre,** *he'll put on.* — **faire l'important,** *be stuck up.* — **ça fait pitié,** *it is pitiful,* or even *disgusting.*

12. **toujours,** and *still* he doesn't come.

13. **train direct,** *through train.*

Page 4. — 1. **manant,** *boor.* An old feudal law term, now contemptuous.

2. **affiche;** time-tables in large sheets are posted at stations, but are rather too complicated for the use of such inexperienced travellers as Perrichon.

3. **administrations,** *public* or *corporation offices;* Majorin is ironical.

ACT I: SCENE 2.

4. **bouscules,** *confuse, upset;* literally "jostle."

5. **casés,** *settled,* i. e. in the compartment of the railway car (*wagon*).

6. **premières,** *first class tickets* (i. e. *places de première classe* and therefore feminine).

Page 5. — 1. **quand je,** *didn't I.*

2. **gare;** this was Perrichon's first railway journey (see line 4) hence his interest in the station as a novelty worthy of inspection.

3. **Nous voilà partis,** *we're off at last.* The romantic sentiment of this and Perrichon's next speech is in the style of 1830, then

still admired by the bourgeoisie and, as Flaubert has assured us, in the country districts, but ridiculous to a Parisian audience. Note the anti-climax in passing from the Alps to the *lorgnette* (line 13).

4. **fonds,** *business,* or possibly the manufactory.

5. **Ah çà!** an exclamation with many shades of meaning, to be gathered from the context. Often a mere appeal for attention. Here expostulatory: *See here!*

6. **faites des phrases,** *are making fine speeches,* using high sounding phrases.

7. **Pourquoi faire?** *What's it for?*

Page 6. — 1. **homme du monde,** *gentleman, man of the world.* Perrichon's unwonted leisure makes him ingenuously fatuous.

2. **bien joli,** *very fine* (ironical). Mme. Perrichon has a shrewd though unpolished common sense.

3. **les faire enregistrer,** *have them checked.*

4. **Enlevez,** *take it away,* i. e. the baggage. Perrichon would get his check from the baggage clerk at the registry window.

5. **Pas par là,** *not that way.*

ACT I: SCENE 3.

6. **comme un ahuri,** *like one bewildered,* i. e. distracted, beside himself.

Page 7. — 1. **m'a fait danser,** *taken me out to dance.*

2. **arrondissement,** election district, and in Paris, *ward,* of which each has its palatial Mayor's Office (*mairie*), where respectable but not very aristocratic balls are given periodically. — **huitième** is significant; this is the ward of the Élysée (the President's palace) a wealthy commercial district of the Faubourg St. Honoré.

3. **vont;** Daniel uses the third person because he has not yet been presented to Mme. Perrichon.

4. **Nice,** a resort on the Mediterranean much visited in the fall and winter. This play was first acted in September.

5. **Bourgeois,** *"Boss."* Used colloquially to any civilian employer, but not to nobles or officers.

6. **prendre,** *get,* regularly used of purchasing tickets.

ACT I: SCENE 4.

7. **Il est très bien**, *he seems quite a gentleman.*

Page 8. — 1. **Ah ça**, see page 5, note 5; here expressing surprise, *Upon my word!* **Après ça**, line 17, *after all.* That Madame Perrichon explains their use of identical phrases by their coming from the same ward shows her social simplicity.

ACT I: SCENE 5.

2. **les jambes . . . corps**, equivalent to *I'm awfully tired of standing;* cf. page 9, line 23.

Page 9. — 1. **belle dame**, *"fair lady."*
2. **là-bas**, *over there*, indefinite.
3. **en nage**, *dripping with perspiration.* — **Je ne tiens plus sur mes jambes**, *I can't stand any longer.*
4. **bonnes**, etc., *silly to stand there stiff as two sentinels.*
5. **n'en finis pas**, i. e. *take so long.*
6. **Voyons**, deprecatingly, *come now.*

ACT I: SCENE 6.

Page 10. — 1. **table**; Perrichon did not need to worry about the baggage; the commissionnaire would watch it till he was paid.
2. **Si j'y allais**, *I wonder if I hadn't better go*, i. e. to see about the baggage.
3. **titres en garantie**, *stock certificates as collateral.*
4. **bête**, *foolish*, here reproachfully familar, usually contemptuous.

Page 11. — 1. **diable**, here expresses impatience; page 16, line 26, surprise. — **Aussi** adds emphasis.
2. **Après ça**, *Oh well*, said with affected indifference.
3. **cinq pour cent**; in stating the rate of interest he expects to pay, Majorin shows he has had no experience with usurers.
4. **avare**, *"close,"* mean, stingy. Perrichon's protest makes Majorin soften this to "methodical" (*a de l'ordre*) or "economical."
5. **Il faut ça**, *that's as it should be.*
6. **Que d'histoires**, *what a fuss he makes about it.*
7. **ça**, i. e. Perrichon; contemptuous.
8. **sapristi**, *goodness!* Originally Italian.

ACT I: SCENE 7.

Page 12. — 1. **mon commandant**; in the French army supe-
riors are customarily addressed with a prefixed possessive adjective.

2. **Quel métier que d'**, *what a job* (or *business*) *it is*, etc.

3. **autant vaudrait**, *it would be just as well;* note the omission of
il.

4. **poste restante**, i. e. to be called for at the post office.

Page 13. — 1. **Qui ça**, *whom do you mean by "on"?* (l. 2 and 3).

2. **parbleu!** Joseph's affected ignorance exasperates the major.

3. **Allons, c'est bien**; *come, don't worry;* with an accent of
good humored impatience.

ACT I: SCENE 8.

4. **bulletin**, *check*, of paper. — **suis enregistré**, i. e. *have my baggage checked.* Perrichon gives comic expression to his bewildered
excitement by speaking of himself as "checked" instead of his
baggage. — **Ce n'est pas malheureux**, *it's high time!*

5. **lui . . . celui-là**, note the repeated pronoun. — **dix sous** (ten
cents) would have been a very moderate fee. Mme. Perrichon has
the timidity of ignorance; Henriette the irresponsible sympathy cf
youth. The chief pay of *facteurs* is in the form of fees.

Page 14. — 1. **va pour**, *let's call it.*

2. **l'aurai laissé**, etc., *must have left it at the baggage room.*

3. **convoi**, now hardly used for "train"; but cf. page 71, line 18

4. **querelle**, i. e. as to who has the tickets.

ACT I: SCENE 9.

Page 15. — 1. **ni moi non plus**, *nor I either.*

2. **me dispose**, *am arranging;* not "am disposed." Lyons was
the end of the route. (Page 3, line 25).

3. **demander**, i. e. of her parents. The different attitudes of the
two lovers are thus frankly disclosed at the outset.

Page 16. — 1. **me tiendrez rancune**, *lay it up against me.*

2. **votre affaire**, *what you want*, colloquial; literally "your business." It is often equivalent to our "just the thing." The book
she wishes to sell him is a picturesque guide-book for tourists on

the Saône river. Hence, the humor of Perrichon's anxiety about *bêtises*, improprieties. Note that in spite of the *cloche* he does not forget his *Bonjour, madame*. Such salutations open and close every purchase at least among the French middle classes and in the small shops.

3. **Tableau,** *silent acting,* here of bustling activity before the starting of a train.

ACT II: SCENE 1.

Page 17. — 1. auberge, *inn*, country or mountain hotel. — **Montanvert,** commonly spelled Montenvert or Montenvers, a ridge about 6000 feet above the sea, and about two hours and a half walk from Chamonix, much visited for its superb view of the *Mer de Glace*, the principal glacier of the Mont Blanc range. The large hotel here now could hardly be called *auberge*, but Swiss accommodations were very different in 1860, the date of this play.

2. **cheminée haute,** *high mantlepiece,* or *great fire-place.*

3. **livre des voyageurs,** *travellers' book,* in which it is customary in these mountain inns to write not only one's name, but some remark which not infrequently takes the form of verse and is usually meant to be amusing.

4. **Tout à l'heure,** *by and by.* Also, "a little while ago."

5. **Faites manger le guide,** *give the guide his dinner;* Alpine guides expect to be fed and lodged at their employer's expense.

6. **bombardés de prévenances,** *pelted them with courtesies.* — **soins,** *attentions.*

7. **dormi dessus,** *went to sleep over it.*

8. **images,** "pictures," but in a derogatory sense here; translate, "*picture book.*"

Page 18. — 1. **store,** etc., *window shade whose spring was out of order.*

2. **comblé,** "*stuffed.*"

3. **vous êtes fait nourrir,** *got yourself fed.*

4. **Chamouny,** or *Chamonix,* valley and village near Mt. Blanc in the French Alps, a very popular resort for tourists.

5. **le Perrichon,** this use of the article is very colloquial.

6. **de s'écrier toujours,** *kept on exclaiming.*

7. **Châlon** or *Châlons,* on the Saône, 30 miles from Dijon and 70

from Lyons.   It must not be confounded with the more important
Châlons on the Marne.

8. **Diable,** *the deuce she did.*

9. **regardera,** note the future, but render by the present tense.

10. **Ah çà!** here, *Oh, by the way.*

11. **paquebots,** properly "packet-boats," but *remorqueurs* (line 30)
are "tow-boats."   Daniel, however, regards the terms as equivalent
(page 19, line 2), possibly because the boats were supposed to ful-
fil both functions, or possibly in a spirit of fun.

12. **capital social,** *capital stock.*

13. **me suis demandé,** *asked of myself.*

Page 19. — 1. **vont tout seuls,** i. e. make their trips without
needing my presence.

2. **pérégrinez beaucoup,** *are quite a traveler,* ironical.

3. **d'ici-là,** *from now till then.*

4. **guerre à outrance,** *war to the death.*   This humorous exag-
geration, like several, less obvious, that precede it, suggests that
Daniel regards his love less seriously than does Armand.

5. **décamper,** *decamp,* "*get out,*" i. e. give up the contest.

6. **Ah çà,** here expresses surprise and perplexity; cf. page 8,
note 1.

7. **Est-ce qu'il aurait,** *can he have.*

Page 20. — 1. **Diable! c'est qu'il est,** *he is confoundedly.*

2. **Ferney,** a town near Lake Geneva, but across the French
frontier.   It was the home of Voltaire from 1759 till shortly before
his death, while on a visit to Paris, in 1778.

3. **drôle de voyager comme cela,** *queer travelling that way.*

4. **ne tiens pas en place,** *can't keep still.* — **J'ai envie d'aller au
devant,** *I believe I'll go to meet.*

ACT II: SCENE 2.

5. **ça,** *that sort of a fellow;* cf. page 11, line 17.

6. **ça ne lui a pas réussi,** *he didn't make a success of it,* i. e. of
the smoking.

7. **Monsieur;** note the third person in address.

8. The fable of the Hare and the Tortoise is familiar in France
through La Fontaine.   (*Fables,* VI, 10).

Page 21. — 1. **mouché si haut,** a pun is intended; "blown my nose at such an altitude" or "so loud."

2. **Malaquais;** this is the name of a quay in the literary quarter of Paris near the Institut and the École des Beaux Arts; its use here is by way of satire on literary sentimentality.

ACT II: SCENE 3.

3. **sel,** *smelling-salts;* Perrichon echoes this speech page 35, line 29.

4. **eau sucrée,** *sweetened water,* a beverage much affected by the French.

5. **n'y sont pour rien,** *have nothing to do with it,* or *are not to blame.*

Page 22. — 1. **Comment donc!** *Why certainly!* expressing at once surprise and gratified assent; cf. page 37, line 18, and page 48, line 27, for similar use of the phrase.

2. **faire de phrase,** *express myself elaborately.* Some editions read, *faire des phrases,* i. e. "parler beaucoup et ne rien faire d'effectif" (Littré). Cf. page 5, note 6.

Page 23. — 1. **les reins!** *my back!*

ACT II: SCENE 4.

2. **de la veine,** *good luck.*

3. **cultivez le précipice,** *make the precipice your friend* or *ally.*

4. **décoche,** *lets fly.*

5. **phrases bien senties,** *pretty little darts of sentiment.* "On dit aussi décocher un compliment, une œillade" (Littré).

6. **Bouilly** (1763–1842), a French jurist, educator and dramatist, but best remembered as a writer for the young. The sentimental character of much of his writing earned him the title of *le poète lachrymal;* but his *Conseils à ma fille* (1809) was long popular and has been translated into several languages.

Page 24. — 1. **bonne chance,** *all happiness;* not "good luck."

2. **lui toucher,** *say to him incidentally.*

3. **espérances,** here, *financial prospects.*

4. **diable!** Expostulatory, *come now!* or *"you don't mean it."*

5. **bien bon,** *"real nice."*

Page 25. — 1. **vais,** etc., ironical.

ACT II: SCENE 5.

2. **repêché,** "*fished up*," i. e. is rescued.

3. **enfin,** equivalent here to *undeniably*; or *really, you know.*

Page 26. — 1. **Par exemple!** *Why, of course not;* cf. page 40, note 8; page 74, line 16; page 76, line 27.

2. **Ah! bah!** *Oh, you can't mean it!* or, *Oh, really now! Bah* usually indicates indifference or incredulity rather than surprise.

3. **se montent la tête,** *get worked up* or *excited.*

4. **vous** is addressed to the audience. — **tout seul,** *all by himself;* cf. page 19, note 1.

5. **Je ne . . . gré de,** *I am none the less obliged to him for.*

6. **a beau dire,** *may say what she likes.* — **ne tient pas,** *has nothing to do with;* cf. page 21, note 5.

Page 27. — 1. **parfaitement,** i. e. without getting hurt.

2. **très bien payé,** ironical.

3. **Je le crois . . . vaut,** *I should think so . . . Still, that's the regular price.*

4. **Ah ça,** cf. page 5, note 5; impatiently here.

5. **des nôtres,** *one of our party.*

6. **Encore un peu,** *a little while longer.* — **le prendre en grippe,** *take an aversion to him.*

7. **chaussons,** *woolen overshoes,* worn by tourists on glaciers.

8. **crevasses,** *cracks* in the glacier ice; the chief danger of such excursions. In line 26 some good editions place a comma after *faudrait.*

ACT II: SCENE 6.

Page 28. — 1. **Code civil;** French law is administered under four codes, — civil, commercial, criminal and penal, besides which there is the great Code Napoléon, completed during the First Empire and now somewhat altered but unchanged in essence. This was originally called the Code Civil des Français and is the one to which allusion is made here. See Encyclopedia Britannica VI, 105.

2. **dans votre droit,** i. e. *acting within your rights.*

ACT II: SCENE 7.

Page 29. — 1. **voilà ce que c'est!** *that's the thing;* complacently. Some editions place suspension points after *heure* (line 4) and *Courtisan* (line 26) and omit *la* before *nature* (line 11) — mère, Perrichon, reading "*avec emphase,*" sounds the final *e* of *mère* and so reveals his error of spelling to the audience (*mère* for *mer*).

2. **Sapristi! c'est fort,** *Goodness! that's fine!* with veiled irony.

Page 30. — 1. **frais,** i. e. unblotted.

2. **bâtons ferrés,** *alpine sticks* shod with iron points.

ACT II: SCENE 8.

3. **grog au kirsch,** *cherry brandy* with sugar, lemon, and hot water.

Page 31. — 1. **poursuivez . . . change,** *are suing me on a prom-issory note.*

2. **prise de corps,** *authorization of arrest.*

3. **tenais à,** *wished to;* cf. *tiens* page 32, line 26.

4. **Je n'en doute pas,** equivalent to "Of course not."

5. **Clichy,** formerly a debtors' prison in the street, not the town, of that name. The Major means that if his love brings him back to Paris, he hopes Armand, by arresting him, will prevent his compromising himself. Imprisonment for debt was abolished in 1867.

Page 32. — 1. **garçon,** *unmarried* here.

2. **ne vous gênez pas,** *never mind me.*

3. **mais du tout,** *by no means;* cf. *pas du tout,* page 74, line 22.

4. **la loi pour moi,** i. e. in favor of my arrest.

Page 33. — 1. **passer ma carte,** i. e. to inform Armand of his address.

2. **faire instrumenter,** *have the warrant drawn up,* or *set the law in motion,* i. e. for his arrest.

ACT II: SCENE 9.

3. **homme du monde,** cf. page 6, note 1.

4. **Beauce,** a very level and rich agricultural district to the right of the river Loire in the Departments of Loir-et-Cher and Eure-et-Loir. Its inhabitants are more noted for industry than wit hence its appropriateness here.

5. **Étampes,** a center for the distribution of cereals and for the manufacture of wool, soap and leather, is a very old town in Seine-et-Oise.

6. **correspondant,** *agent* or *representative*.

Page 35. — 1. **coiffée,** alluding to her hair and the way it is dressed (*coiffure*), or possibly to her head-covering or bonnet.

2. **Tiens-toi donc droite,** *do stand straight.* With a flustered maternal anxiety that her daughter should make the best impression.

3. **Qu'est-ce qu'il y a ?** *What's the matter ?*

ACT II: SCENE 10.

4. Perrichon here repeats what he has heard Armand say, Act 2: Scene 3.

Page 36. — 1. **Racontant,** in an exaggerated, rhetorical manner.

2. **Théramène,** a character in Racine's *Phèdre* (Act V, Scene 6). The allusion is to his eloquent but long-winded description of the death of Hippolyte, a favorite piece for declamation in French schools.

3. **que diable,** with impatience at the interruption.   Cf. page 11, note 1.

4. **Je tire,** etc., this reminiscence of the schoolroom is a favorite and harmless jest in French light comedy.   Cf. page 81, line 4.

Page 37. — 1. **frimas,** *mountain snow,* condensed into hard crystals; properly, "hoar-frost."

2. **c'est juste,** *of course,* or *to be sure*; see also page 80, line 23.

Page 38. — 1. **lieux,** *scenes;* plural in affectation of solemnity.

2. **dévergondage,** *impudence;* more properly "shamelessness."

3. **paltoquet,** *cad,* clownish fellow; an epithet ludicrously inept for the major.

4. **pleut à verse,** *is pouring.*

Page 39. — 1. **le compte,** i. e. *the number of our party,* omitting Armand.

2. **Dame !** *Well!* Impatiently. Cf. page 51, line 27. *Dame* is in general intensive, equivalent to "to be sure," "of course."

3. **reprendrais la corde,** *should get on the inside track;* this expression recurs several times in the play. Originally a racing

term. The *corde* marks the inside of the course where the track is shortest. "Tenir la corde se dit ... d'une personne qui a une avance ou un avantage sur les autres. (Littré.)

ACT III: SCENE 1.

Page 40. — 1. **appartement,** i. e. door leading to another room.

2. **tapis,** this was not then the style in aristocratic parlors. Such a stage direction is a good instance of the minute care that French playwrights take in the setting of their pieces.

3. **Grenoble;** Perrichon's party had extended their tour southward to this picturesque fortress and one of the most beautifully situated cities of France, some 60 miles south-east of Lyons.

4. **fera poser,** *put up.* They had been taken down to avoid dust; another bourgeois trait.

5. **mettra le pot au feu,** get the meat-soup kettle on the fire, i. e. *start the cooking.* The preparation of this meat-soup is an affair of several hours.

6. **barbue,** *brill,* a flat fish resembling turbot, not found in American waters.

7. **à la casserole,** *stewed.*

8. **par exemple,** *by the way,* not "for example." See page 26, note 1.

9. **doit repasser,** *expects to call again.*

ACT III: SCENE 2.

Page 41. — 1. **cartons,** *hat* or *bonnet boxes of pasteboard.*

2. **Que de visites!** *How many callers!*

Page 42. — 1. **engraissé,** note here, as before, the servant's familiarity, intended to suggest the bourgeois household.

2. **Allons donc!** *Well! well!* or *Nonsense!*

ACT III: SCENE 3.

3. **bête,** *stupid,* — **cet animal-là,** *that donkey.*

4. **prendre un parti,** *make up your mind.*

5. **deux prétendus,** i. e. *two suitors at once.*

6. **ne lui en veux pas,** *bear no grudge against him.* **Lui,** redundant; cf. *leur,* page 64, note 1.

7. **Il ne manquerait plus que ça,** *I should hope not*; i. e. that makes his ingratitude complete.

Page 43. — 1. **C'est agaçant à la longue,** *that gets exasperating after a while.*

ACT III: SCENE 4.

Page 44. — 1. **liberté du choix ;** this magnanimous abdication of paternal authority was already popular on the stage in 1860, and was becoming more general in social circles affected by the democratic spirit.   But social usage still gives the parents of the woman more voice then they have in English or Teutonic homes.   Cf. the close of Act IV, Scene 7.

2. **spirituel,** *bright,* or "*clever*" here, rather than "witty," as in page 21, line 9.

3. **Du tout,** cf. page 32, line 25.

4. **prête à accepter . . . désignerez,** this state of mind was, and is regarded as normal for the dutiful daughter in France.

ACT III: SCENE 5

Page 45. — 1. **de garde,** his old excuse; see page 3, line 18.

2. **y tiens,** *care for it;* cf., for a somewhat similar use of *tenir,* page 31, line 25 and page 32, line 26.

Page 46. — 1. **à répétition,** *repeating,* i. e. striking the hours.

2. **cravate,** *neckerchief.*   The full cravats shown in the fashion-plates of 1860 illustrate the practicability of Perrichon's scheme.

3. **droits,** *custom duties.*

4. **diablesse de,** *deuce of a.*

5. **pincé,** *nabbed, caught.* — **saisi,** *confiscated.*

6. **scène atroce,** *dreadful scene,* "awful row"

7. **gabelou,** *tax-gatherer,* a term of contempt.   Originally a collector of *gabelle,* any excise or impost, but especially the oppressive salt-tax.   The penalties for insulting officers in discharge of their duties are more severe and more rigidly enforced on the continent than in England or America.

8. **entendrais parler de,** *would hear from,* threateningly.

ACT III: SCENE 7.

Page 48. — 1. **mon bon**, *my good fellow*, familiar.

2. **se**, *one another's*.

3. **Théramène**, cf. page 36, note 2.

4. **tombé du jury**, *chosen for jury duty*, a distinction no more envied in France than with us, especially as there is no Grand Jury, and the Petty Jury is confined to criminal cases. Its decisions, unlike ours, are by a majority vote.

5. **Comment donc!** Cf. page 22, note 1. — **si**, (*the idea of asking*) *if*.

6. **au mépris de**, *disregarding*, a little stronger than "at the risk of."

Page 49. — 1. **Trois francs;** Daniel means that he had it inserted as a "reading notice" at that rate.

2. **corde**, *inside track*, see page 39, line 15.

3. **la presse a du bon;** in 1860 the laws limiting the liberty of the press were as strict as they are now lax in France; to say that "the press has its good side" might seem almost revolutionary to a partisan of the Second Empire during Morny's regime (1852–1865).

4. **numéros**, *copies*, of newspapers and periodicals.

5. **inutile**, *unnecessary*, not "useless."

6. **papier timbré**, *summons* here. All legal documents such as summonses, writs, deeds, wills, and many communications with public offices, must be written on *papier timbré* to obtain legal or official recognition. This "stamped paper," is of various sizes and prices, according to the nature of its intended use. and is a considerable source of revenue.

7. **chambre**, a "part" or division of a law court; cf. Encyclopedia Britannica IX: 511.

Page 50. — 1. **Vu le procès-verbal dressé**, *in view of the written official declaration made.*

2. **C'est bien fait**, *that serves him right.*

Page 51. — 1. **A la bonne heure**, a phrase of many shades of meaning, here expressing ingenuous and pleased surprise.

2. **Parbleu**, expressing a vexed but amused surprise.

3. **terre-neuve**, *Newfoundland dog*, i. e. one whose life is spent in rescuing persons in danger.

4. **dîne en ville,** *have an invitation to dinner.*

5. **c'est-à dire que c'est,** *he really is.*

6. **crois,** i. e. that I ought to tell him.

7. **attendre l'envoi des billets de faire part,** *wait till the wedding cards are sent out.* Such *billets* are in the nature of circular letters, and announce births, marriages, deaths, etc. **Dame!** See page 39, note 2.

ACT III: SCENE 8.

Page 52. — 1. **mes actions baissent,** *my stock's going down,* a stockbroker's term.

2. **Nous y voilà,** *now it's coming,* or *now we are in for it.*

3. **a beau dire,** cf. page 26, note 6.

4. **brûle le pavé,** "*is rushing about,*" i. e. is straining every nerve.

Page 53. — 1. **compromettantes;** note the strictness of French social usage in this regard.

2. **Allons bien,** said in regretful protest. — **aie;** note the subjunctive after the superlative implied in *seul;* the indicative would not be incorrect.

Page 54. — 1. **C'est ça,** *that's just the thing.*

2. **Musée de Versailles,** a large collection of historical paintings, then much visited by the middle class, but little esteemed by the artistically cultured. It has since been much improved. Versailles is a suburb of Paris and site of the famous palaces and parks of Louis XIV and XV.

3. **de Paris,** he means the annual artist's exhibition, the most important of the kind in Europe.

4. **livret,** *catalogue* of the exhibition.

5. **banque,** "*touting.*" Slang; the allusion is to the mountebanks who stand outside the show on a raised platform and exaggerate the wonders within. — **réclame,** "*puffing;*" properly a "reading notice" or disguised advertisement,

6. **sec,** *plain, unadorned,* an ironical allusion to the style, but Perrichon takes it seriously.

7. **Allons donc!** *At last!* or even, *you bet I will!* Daniel throughout this scene, had been leading Perrichon up to making the request that he should stay.

ACT III: SCENE 9.

Page 55. — 1. Qu'est-ce que c'est que ça ? *Who can that be?*
The name sounds strange to him.

Page 56. — 1. laisser traîner sur, *leave lying spread over*.

2. De quoi vous mêlez-vous ? *What business is it of yours?*

3. maison, *family*, descent.

4. Ah! çà ! impatiently here, as one might say, *Come, come!*
Cf. page 5, note 5.

5. ce n'est pas malheureux, *I should hope not*, as in page 13,
line 22. He is encouraged to an affected boldness, by the Major's
restraint.

6. Mathieu, *Matthew*, a name more associated with the peasant-
ry and the artisan class than with officers.

Page 57. — 1. Où ça ! *Where!* The major now begins to use
the elliptical language affected by the military, though not peculiar
to them. Cf., for instance, Perrichon's *qui ça*, page 67, line 23.

2. bois de la Malmaison, a park and favorite duelling-ground,
between the Bois de Boulogne and Marly, near the Seine. It was
once the country seat of the Empress Josephine.

3. garde, i. e. *park-keeper's lodge*.

ACT III: SCENE 10.

4. raide en affaires, *uncompromising*, familiar.

5. Allons donc, equivalent here to *nonsense!*

Page 58. — 1. zouaves, originally Algerian troops, now exclu-
sively French, but still distinguished by barbaric brilliancy of uni-
form and the assumption of peculiar courage and dash.

2. Saprelotte! *Good gracious!* A euphemistic oath.

3. gradé, the adjective *gradé* is used properly of inferior military grades. Perrichon uses it to suggest a lawyer with an officer's
commission in the national guard; see page 3, note 10.

ACT III: SCENE 11.

Page 59. — 1. au fait, *after all*.

2. préfet de police, *Chief of Police*. This Parisian official is a
national as well as a municipal officer. His position and responsi-

bilities are unique in France and his power is much greater than that of any corresponding English or American official. His sphere of action is the Department of the Seine and some surrounding communes.

3. **à point nommé**, *at the proper time*, not "place."

ACT III: SCENE 12.

4. **croiser le fer**, *cross swords*, i.e. fight a duel.

Page 60. — 1. **veuillez agréer**, etc.; the French, and continental nations generally, are more particular in the gradations of salutation at the close of letters, than English or Americans would be apt to be. Here the full form would probably be: "Please accept the assurance of my distinguished consideration."

ACT III: SCENE 13.

2. **la figure longue d'une aune**, *a face a yard long*, i. e. terribly serious.

Page 61. — 1. **grand Dieu!** *Merciful heavens!* or some equivalent.

ACT IV: SCENE 1.

Page 63. — 1. **pavillon;** as appears later this was a wing of the main house with an entrance on the garden. The entrance is used, pp. 63 and 76, hence it is called **praticable;** see page 3, note 2.

2. **Psit**, a hissing sound much used on the continent to attract attention, e. g. of cab-drivers or conductors.

ACT IV: SCENE 2.

Page 64. — 1. **fait des procès**, *prosecute.* — **leur** is tautological. Cf. *lui* page 42, note 5.

Page 65. — 1. **Encore un;** he means that Majorin feels toward Perrichon as Perrichon does toward Armand.

ACT IV: SCENE 3.

Page 66. — 1. **bien fait**, cf. page 50, note 2.

ACT IV: SCENE 4.

Page 67. — 1. **que de,** *how much*; cf. page 41, note 2.

2. **nous . . . dessus,** i. e. *would have arrested us;* the indicative adds vividness to the phrase.

3. **Qui ça?** i. e. *thank whom?*

ACT IV: SCENE 5.

Page 69. — 1. **après?** *what of it?*

2. **consigner,** *deposit* with the officials of the debtors' prison. — **billet,** equivalent to *lettre de change*, page 31, line 16. — **plus les frais,** *plus the legal charges.*

3. **étranger à,** *not responsible for*, foreign to.

Page 70. — 1. **j'aime les militaires**; Offenbach's *Grand Duchesse* (1867) had not yet made this expression ludicrous.

2. **mettrai à la porte,** *discharge.*

3. **canne,** *backs down.* Slang.

4. **patron,** *master;* properly "employer" in a shop or factory.

Page 71. — 1. **au beau milieu,** *right in the middle.*

2. **dame!** *really!* cf, page 39, note 2.

3. **en Savoie**; the Swiss boundary is about five miles away. The Duchy of Savoy, once part of the Kingdom of Sardinia, was ceded to France in 1796. The Departement Haute-Savoie was organized in 1860, the year of this play, hence the timeliness of the allusion.

Page 72. — 1. **billets,** cf. page 69, note 2.

2. **donne ton compte,** *discharge you.*— **faire tes paquets,** *pack up your things.* — **animal,** cf. page 42, note 3.

ACT IV: SCENE 6.

3. **est-ce qu'il ne va pas s'en aller?** *isn't he ever going to go?* impatiently. What follows is ironical.

4. **donnera suite au procès,** *follow up the case*, in court.

Page 73. — 1. **à la fin,** *anyway*, here.

2. **vous fourrer,** *intrude.*

ACT IV: SCENE 7.

Page 74. — 1. **Par exemple,** *What an idea!* cf. page 26, note 1.

ACT IV: SCENE 8.

Page 75. — 1. **donnerais.** The standard edition reads *donnerai*, probably a misprint.

2. **l'heure de la philosophie,** i. e. a time to show philosophic calm.

Page 76. — 1. **plus avancé,** i. e. of a more developed egoism. In line 16 some editions add *à part* to the stage direction.

2. **pris en grippe,** cf. page 27, note 6.

3. **Primo, secundo, tertio,** Latin, translate: *in the first place,* etc.

4. **comme . . . artifice,** *to cap the climax.* A *bouquet* is the final show-piece in an exhibition of fireworks (*feu d'artifice*).

5. **comme,** *as plain as.*

Page 77. — 1. **ne faisiez aucun cas de,** *had no regard for.*

2. **ledit,** *the aforesaid.*

3. **philosophe;** La Rochefoucauld is meant, but his Maxim 232 is not cited textually. It reads: " Ce qui fait le mécompte dans la reconnaissance qu'on attend des grâces que l'on a faites, c'est que l'orgueil de celui qui donne et l'orgueil de celui qui reçoit ne peuvent convenir du prix du bienfait." Cf. also Maxim 235.

4. **flairé,** scented, i. e. *observed.*

5. **marche,** *course.*

6. **fait d'armes,** *exploit,* i. e. his pride.—**estomac,** we should say " bosom."

7. **il lui pousse,** etc. i. e. "he's as proud as a peacock." Il is impersonal.

Page 78. — 1. **je le souffle,** *I keep him going,* as one does a fire with bellows.

2. **l'imprime,** *get him into print;* this use of *imprimer* is slang.

3. **Dieu ! la,** *My! what a.* Ironical.

ACT IV: SCENE 9.

Page 79. — 1. **moins vécu,** *seen less of society,* cf. page 76, line 5.

2. **Attrape,** *caught!* "Sorte d'interjection par laquelle on exprime qu'une personne vient d'être l'objet d'une malice." (Littré.)

ACT IV: SCENE 10.

Page 80. — 1. **numéro;** cabmen in Paris are required to give those who employ them a ticket with the rate of fare and the number of the cab. The charge is either by trip without stops, or as here by the quarter-hour.

Page 81. — 1. **commandant . . . commandé;** this somewhat puerile pun, like Armand's feeble jest, page 34, line 9, and the bit of verb conjugation, page 36, line 28, was a little beneath the dignity of the "Gymnase" Theatre, where this play was first acted, but it was quite in keeping with the traditions of the "Palais Royal," the "Vaudeville," and the "Variétés," where most of Labiche's farces had been acted up to 1860.

VOCABULARY

VOCABULARY

NOTE. — Articles, and their contractions with à and *de*, personal and possessive pronouns and the two auxiliary verbs are omitted in this vocabulary. Irregularly formed plurals, feminines and verbal stems (not forms) are noted, and where the alphabetical arrangement calls for it they are separately entered.

A

à, at, by, for, in, till, to, with.
abasourdi, taken aback.
abdiquer, abdicate.
abime, *m.*, abyss.
abord, *m.*, d'—, first, at first.
abréger, abridge.
abrupte, steep.
absence, *f.*, absence.
absolument, absolutely.
accepter, accept.
accident, *m.*, accident.
accompagner, accompany.
accorder, grant.
accourir, run up, run to.
acheter, buy.
achever, finish.
acquérir, acquire.
acquitter (s'), receipt, pay.
acte, *m.*, act.
acti-f –ve, active.
action, action, share (of stock).
adieu –x, good bye, farewell.
administration, *f.*, public office.
admirable, admirable, wonderful.

admirer, admire, wonder at.
adresse, *f.*, address.
adresser, address; s'—, apply.
adversaire, *m.*, adversary.
affaire, *f.*, affaire, business (also *pl.*).
affiche, *f.*, poster, time-table.
affolé, gone crazy.
affreux, awful.
afin de, in order to; — que, in order that.
agacer, irritate.
âge, *m.*, age.
agent, *m.*, agent.
agir, act; s'—, be in question, be the matter, be about.
agréable, agreeable, pleasant.
agréer, accept.
ah, ah, oh.
ahuri, *m.*, crazy man.
aider, aid, help.
aïe! oh! (*of pain*).
aill–, *see* aller.
ailleurs (d'), besides, moreover.
aimable, gracious, kind, amiable.
aimer, love, like; — mieux, prefer.

ainsi, so, thus.

air, *m.,* air, look, manner.

ajouter, add.

aller, go; **s'en —,** go away.

allumer, light.

alors, then, so.

Alpes, Alps.

amateur, *m.,* amateur.

amertume, *f.,* bitterness.

ami, *m.,* friend; **mon —,** my dear.

amical, amicable.

amuser, amuse.

an, *m.,* year.

ancien, former.

ange, *m.,* angel.

angle, *m.,* corner.

animal, *m.,* animal, stupid fellow.

année, *f.,* year.

annoncer, announce.

antichambre, *f.,* antichamber.

antipathie, *f.,* antipathy.

apercevoir, perceive.

apercoi-, oiv-, aperçu, *see* **apercevoir.**

appartement, *m.,* room, suite of rooms.

appartenir, belong.

appeler, call, name.

appointements, *m.,* salary.

apporter, bring in.

appreciation, comment.

appren-, *see* **apprendre.**

apprendre, teach, learn.

appri-, appris, *see* **apprendre.**

approcher, draw up, draw near, bring near; **s'—,** approach.

après, after, afterward; *page 26, line 16,* on.

argent, *m.,* money, silver.

armée, *f.,* army.

arracher, tear.

arranger, arrange.

arrêter, stop.

arriver, come, arrive, happen.

arrondissement, *m.,* ward.

arroser, water.

arrosoir, *m.,* watering-pot.

article, *m.,* article.

asseoir (s'), sit down.

assey-, *see* **asseoir.**

assez, enough.

assied, assieds, *see* **asseoir.**

assignation, *f.,* summons.

assis, *see* **asseoir.**

assister, help, assist, be present.

associé, *m.,* partner.

associer, associate.

assurer, assure, ensure.

atroce, awful.

attacher, attach; **s'—,** cling.

attaque, *f.,* attack.

attendre, wait, wait for, expect; **s'—,** expect.

attendrir, touch, soften.

attention, *f.,* attention.

atténuer, belittle.

attrape! caught!

attribuer, attribute.

auberge, *f.,* inn.

aubergiste, *m.,* innkeeper.

aucun, any; **ne . . . —,** none.

aujourd'hui, to-day.

aune, *f.,* yard, yardstick.

auquel, on which, to which.

aurai, *page 14, line 16,* must have.

aurore, dawn.

aussi, as, so, also, then.

aussitôt que, as soon as.

autant que, as much as, as many as.

auteur, *m.,* author.

autorité, *f.,* authority, police.

autre, other, else.

avance, *f.,* advance; en —, ahead of time.

avancer, advance; s'—, progress.

avant, before.

avantage, *m.,* advantage, pleasure.

avant-hier, *m.,* day before yesterday.

avare, stingy.

avec, with.

avenir, *m.,* future.

avis, *m.,* counsel, opinion, advice.

avouer, admit, confess.

B

bagages, *m. pl.,* baggage, baggage-room.

bah! really!

baisser, descend, go down.

bal, *m.,* ball.

balustrade, *f.,* balustrade, railing.

banal, commonplace.

banc, *m.,* bench.

banque, *f.,* bank; *page 54, line 17,* touting, puffing.

banquier, *m.,* banker.

barbue, *f.,* brill.

barrière, *f.,* barrier, bar, railing.

bas, basse, low, aside.

bataille, *f.,* battle.

bâton, *m.,* stick, cane.

bats, *see* battre.

battre, beat; se —, fight.

beau (bel, belle), beautiful, beautifully; avoir —, try in vain.

beaucoup, much, many.

beau-père, *m.,* father-in-law.

bel, belle, *see* beau.

bénéfice, *m.,* benefit.

bénir, bless.

besoin, *m.,* need.

bête, *f.,* beast, blockhead.

bête, foolish, silly, stupid.

bêtise, *f.,* nonsense, folly.

bien, *m.,* good.

bien, well, right, proper, surely, really, very.

bienfait, *m.,* benefit.

bientôt, soon, presently.

bienveillance, *f.,* good will.

bienvenu, *m.,* welcome.

biffer, erase, cross out.

billet, *m.,* note, bank note, ticket.

bizarre, queer.

blamer, condemn.

blesser, wound.

blond, fair, light complexioned.

boire, drink.

bois, *m.,* wood.

bombarder, pelt, bombard.

bon, bonne, good, silly; de — heure, early; à la — heure, Good! Well! Really!

bonheur, *m.*, good fortune.

bonhomme, *m.*, fellow, good fellow, good man.

bonjour, *m.*, good day.

bonne, *see* bon.

bord, *m.*, bank, brink.

borner, confine.

boule, *f.*, ball.

bouquet, *m.*, bouquet, final firework.

bourgeois, *m.*, sir, citizen.

bousculer, jostle, worry.

brave, fine, brave.

briser, break.

bronze, *m.*, bronze.

bruit, *m.*, noise, rumor.

brûler, burn.

brusquement, bruskly, quickly.

bulletin, *m.*, baggage receipt, check.

bureau, *m.*, desk, office.

buvard, *m.*, blotter.

C

c', *see* ce.

ça (cela), that.

cabrer, rear.

cacher, hide.

cacheter, seal.

cachot, *m.*, cell.

café, *m.*, coffee.

caisse, *m.*, cashier's desk.

calculer, calculate.

calme, calm.

calmer, calm.

calotte, *f.*, travelling cap.

campagne, *f.*, campaign.

canapé, *m.*, sofa.

canner, knuckle under (*slang*).

cantonade, *f.*, wing (*of the stage*).

caoutchouc, *m.*, waterproof.

capita-l -ux, *m.*, capital.

capital, important.

capricieu-x -se, capricious.

car, for.

caractéristique, characteristic.

caresser, caress.

carnet, *m.*, note-book.

carrosserie, *f.*, carriage-making industry.

carrossier, *m.*, carriage-maker.

carte, *f.*, card.

carton, *m.*, bandbox.

cas, *m.*, case, esteem.

caser, settle, place.

casser, break.

casserole, *f.*, saucepan, stewpan.

cavalier, *m.*, rider.

catégorie, *f.*, category.

causer, talk.

ce, this, that.

Cie (compagnie), *f.*, company.

ceci, this.

céder, yield.

cela, that.

celui, celui-là, that one.

cent, hundred.

centime, *m.*, centime.

cependant, yet, still, however.

certainement, certainly, of course.

cesse, *f.*, intermission, ceasing.

ceux, these, those.

chacun, each.

chagrin, *m.*, chagrin, regret.

chaise, *f.*, chair.

chambre, *f.*, chamber, room.

change, *m.*, exchange.

changer, change.

chanter, sing.

chapeau, *m.*, hat.

chaque, every.

charger, charge, load.

chariot, *m.*, car, truck.

charmant, charming.

charmer, charm.

chaud, hot, warm.

chausson, *m.*, sock.

chemin, *m.*, road, way; — de fer, railroad.

cheminée, *f.*, fireplace, mantel-piece.

cher, chère, dear.

chercher, seek.

cheval, *m.*, horse.

chevalerie, *f.*, chivalry.

chez, at the house of, at (one's) home; *page 25, line 4*, in.

chocolat, *m.*, chocolate.

choisir, chose.

choix, *m.*, choice.

chose, *f.*, thing.

chut! hush!

chute, *f.*, fall.

ciel, *m.*, heaven, heavens!

cigare, *m.*, cigar.

cinq, five.

cinquante, fifty.

circonstance, *f.*, circumstance.

circulation, *f.*, circulation.

citoyen, *m.*, citizen.

civil, civil.

clair, clear.

classe, *f.*, class.

cloche, *f.*, bell.

cocher, *m.*, coachman.

code, *m.*, code.

compagnie, *f.*, company.

cœur, *m.*, heart.

coiffer, dress hair.

col, *m.*, collar.

colère, *f.*, anger.

combattant, *m.*, fighter.

combattre, combat, fight.

combien, how much, how many.

combler, fill, heap, stuff.

comédie, *f.*, comedy.

commandant, *m.*, major.

comme, like, as.

commencer, begin.

comment, how, what!

commerçant, *m.*, merchant.

commissionnaire, *m.*, porter.

communication, *f.*, communication.

communiquer, communicate.

compagnon, *m.*, companion.

comparaître, appear.

compatriot, *m.*, fellow-countryman.

complètement, completely.

compléter, complete, finish.

comprendre, understand.

compren–, *see* comprendre.

compri–, compris, *see* comprendre.

compromettre, compromise.

compte, *m.*, count, number.

compter, count, expect.

concert, *m.*, concert.

concerter (se), consult.

concession, *f.*, concession.

concevoir, conceive.

concierge, *m.*, porter.

conciliation, *f.*, conciliation.

conclure, conclude.

concours, *m.*, competition.

conçu, *see* concevoir.

conduire, drive.

confiance, *f.*, confidence, re-
liance.

confidence, *f.*, confidence.

confession, *f.*, confession.

congé, *m.*, leave of absence.

connaiss–, *see* connaître.

connaissance, *f.*, acquaintance.

connaître, know.

consacrer, consecrate.

conseil, *m.*, counsel, council.

considérablement, much.

consigner, pay.

constater, state, establish.

constitution, *f.*, constitution.

contempler, contemplate.

content, satisfied.

continuer, continue.

contraire, contrary.

contrarier, thwart, annoy.

contre, against.

convenir, suit, agree.

convien–, *see* convenir.

convoi, *m.*, train.

corde, *f.*, cord, rope, chord.

corps, *m.*, body.

correspondant, *m.*, correspond-
ent, agent.

corriger, correct.

côté, *m.*, side.

coulisse, *f.*, side scene (of stage).

coup, *m.*, blow, stroke.

couper, cut.

courage, *m.*, courage.

courber, bend.

courir, run.

course, *f.*, trip.

courtisan, *m.*, courtier, flatterer.

cousin, *m.*, cousin.

coûter, cost.

couvert, covered.

craign–, *see* craindre.

craindre, fear.

cramponner (se), cling, clutch.

cravate, *f.*, cravat, neckerchief.

crevasse, *f.*, crevasse, rift, cleft.

cri, *m.*, cry, shout.

crispé, clenched.

croire, believe.

croiser le fer, cross swords.

croy–, *see* croire.

cru, *see* croire.

cruel, cruel.

cueiller, gather.

cuisinière, *f.*, cook.

culbute, *f.*, tumble.

cultiver, cultivate.

D

dahlia, *m.*, dahlia.

dame, *f.*, lady.

Dame! Well!

danger, *m.*, danger.

dans, in, into, with.

danser, dance.

danseur, *m.*, dancer.

davantage, more.

de, of, by, from, to, with, in, upon, out of, for, at; some, any.

débarrasser, relieve.

décamper, leave, decamp.

décidément, certainly.

décider, decide, persuade.

décision, *f.*, decision.

déclarer, declare.

décocher, dart.

défaut, *m.*, fault.

défendre, defend, forbid.

dehors, outside.

déjà, already.

déjeuner, breakfast, lunch.

déjeuner, *m.*, breakfast, lunch.

délicat, delicate, delicious.

demain, to-morrow.

demande, *f.*, offer.

demander, ask.

déménager, move, remove.

demoiselle, *f.*, girl, young lady.

démontrer, demonstrate.

départ, *m.*, departure.

dépêcher (se), hurry.

dépense, *f.*, expenses.

déplorable, deplorable.

depuis, after; — que, since.

déranger, derange, disturb; *page 18, line 1*, be out of order.

dérober, se — à, avoid

dernier, last.

derrière, behind.

dès, from, since, at.

désagréable, disagreeable.

descendre, descend, come down (*the stage*).

désigner, designate, point to.

désirer, desire.

désireu-x —se, desirous.

désinviter, withdraw an invitation.

désolé, sorry.

désormais, from this time on.

dessus, on, over, over it.

destituer, discharge.

détermination, *f.*, determination.

détester, detest.

deux, two.

deuxième, second.

devant, before; aller au —, go to meet.

développer, develop, explain.

devenir, become.

dévergondage, *m.*, impudence.

devien-, *see* devenir.

deviner, guess.

devoir, owe, (ought,) be bound to, be going to.

dévouement, *m.*, devotion.

dévouer, devote.

diable, *m.*, douce, devil.

diablesse, *f.*, de, deuce of a.

d'ici là, from now till then.

dicter, dictate.

dictionnaire, *m.*, dictionary.

dieu, *m.*, God, gracious!

different, different.

difficile, difficult.

dig (*sound of muffled ringing*).

dîner, *m.*, dinner.

dîner, dine.

dire, say.

direct, direct, through (*train*).

dis, dis-, *see* dire.

discrétion, *f.*, discretion.

disparaiss-, *see* **disparaître.**

disparaître, disappear.

disparu, *see* **disparaître.**

disposer (se), be disposed, prepare, arrange.

distingué, well-bred, genteel.

distrait, absent-minded, distraught.

distribuer, distribute, give out.

dit, dites, *see* **dire.**

dividende, *m.*, dividend.

dix, ten, tenth.

doi-, doiv-, *see* **devoir.**

domestique, *m. and f.*, servant.

dominer, dominate.

donc, then; **allons donc,** come now!

donner, give.

dont, of which, of whom, whose.

dormir, sleep.

douane, *f.*, custom-house.

douanier, *m.*, custom-house officer.

douce, *see* **doux.**

douloureux, painful.

doute, *m.*, doubt.

douter, doubt, suspect.

doux, douce, gentle, soft.

douzaine, *f.*, dozen.

douze, twelve.

dresser, *page 50, line 2,* draw up.

droit, *m.*, right, duty.

droit, right, erect.

droite, *f.*, right hand.

drôle, queer.

dû, *see* **devoir; a dû,** *page 18, line 1,* must have.

duel, *m.*, duel, duelling.

durer, last.

E

eau, *f.*, water.

éboulement, *m.*, quaking.

échange, *m.*, exchange.

échapper, escape.

éclabousser, splash, spatter.

éclairer, enlighten.

éclater, burst.

écouter, hear, listen.

écraser, crush.

écrier (s'), exclaim.

écrire, write.

écriture, handwriting.

écriv-, *see* **écrire.**

éducation, *f.*, education.

effacer, efface.

effet, *m.*, fact.

effort, *m.*, effort.

effrayer, frighten.

effusion, *f.*, "gush", emotion.

égal, equal, indifferent; **c'est** ⁀₁ it's all the same.

également, equally.

eh bien, well!

élancer, rush, dart.

élégant, elegant.

élever, elevate, exalt, bring up, train.

éloigner (s'), de, move away from, leave.

embarras, *m.*, perplexity.

embarrasser, embarrass.

embrasser, embrace, kiss.

émotion, *f.*, emotion.

empêcher, hinder.

emphase, *m.*, emphasis.
employé, *m.*, official.
emporter, carry away, win.
emprunter, borrow.
empressement, *m.*, eagerness.
ému, moved.
en, in, on, to, at, like, by, for, from.
en, in it, to it, with it (them); some, any; from there.
enchaîner, chain, bind.
enchanter, charm.
encore, still, more, besides, yet, again.
encrier, *m.*, inkstand.
endroit, *m.*, place.
énergiquement, energetically.
enfant, *m. and f.*, child.
enfermer, shut up.
enfin, at last, in short.
engager, engage, enter on, begin.
engraisser, grow stout.
enlevez! take it away!
ennemi, *m.*, enemy.
ennui-, *see* ennuyer.
ennuyer, weary, tire; s'—, be tired, wearied, bored.
enregistrer, register, check (*baggage*).
enrhumé, with a cold.
ensemble, together.
ensevelir, bury.
entendre, understand, hear.
entier, entire.
entourer, surround.
entre, between.
entrée, *f.*, entrance, entry.
entrer, enter.

entr'ouvrir, half open.
envahir, intrude, invade.
envenimer, envenom, excite.
envers, to, toward.
envie, *f.*, notion, fancy, desire.
envoi, *m.*, sending.
envoi-, *see* envoyer.
envoyer, send.
épanouir, expand, brighten.
épée, *f.*, sword.
éperon, *m.*, spur.
éplucher, pick; — des fautes, pick holes, correct.
épouser, marry.
éprouver, feel, experience.
espérance, *f.*, expectation, hope.
espérer, hope.
espoir, *m.*, hope.
esprit, *m.*, spirit, wit, mind.
essai-, *see* essayer.
essayer, try.
essui-, *see* essuyer.
essuyer, wipe, dust.
estimer, esteem.
estomac, *m.*, stomach, body.
et, and.
étendre, extend, stretch.
étoffe, *f.*, stuff.
étonner, astonish.   [abroad.
étranger, *m.*, stranger; à l'—,
événement, *m.*, event.
évident, evident.
éviter, avoid.
exact, exact.
exactement, exactly, punctually.
examiner, examine, survey.
excellent, good, excellent.
ex-commandant, former major.

excuse, *f.*, excuse.
excuser, excuse.
exemple, *m.*, example. **par —,** really!
exercice, exercise.
explication, *f.*, explanation.
expliquer, explain.
exposition, *f.*, exhibition.
exprès, on purpose.
extérieur, outside, exterior.
extraordinaire, extraordinary.

F

fable, *f.*, fable.
face, *f.*, face.
fâcher (se), be vexed, be angry.
facilement, easily.
facteur, *m.*, porter, baggageman.
factionnaire, *m.*, sentinel.
faiblesse, *f.*, weakness.
faiblir, weaken.
faire, make, do, counterfeit; *page 11, line 24*, pay.
fais-, *see* faire.
fait, fact; au — (*page 59, line 7*), but really; — **d'armes,** feat of arms.
fait, faites, *see* faire.
falloir, be necessary.
famille, *f.*, family.
fanfaronnade, *f.*, boastfulness, blustering.
fantaisie, *f.*, fancy.
fatiguer, tire.
fatuité, fatuity.
faudr-, faut, *see* falloir.
faute, *f.*, fault.
fauteuil, *m.*, armchair.

faux, fausse, false.
favorable, favorable.
félicitation, *f.*, felicitation.
femme, *f.*, woman, wife.
fenêtre, *f.*, window.
fer, *m.*, iron.
fer-, *see* faire.
ferrailleur, wrangler, professional duellist.
ferré, iron-shod.
feu, *m.*, fire; — **d'artifice,** firework.
feuilleter, turn the leaves of.
fiacre, *m.*, cab.
fier, proud.
fièrement, proudly.
figure, *f.*, face.
fille, *f.*, daughter, girl.
fils, *m.*, son.
fin, *f.*, end.
finir, finish.
fixer, fix, settle.
flairer, scent.
flatter, flatter.
flatteu-r –se, flatterer.
flèche, *f.*, arrow, bolt.
fleur, *f.*, flower.
foi, *f.*, faith.
fois, *f.*, time.
fonction, *f.*, function.
fond, *m.*, rear, back, bottom.
fonds, *m.*, stock in trade.
force, *f.*, force.
fort, strong, hard.
fou (fol, folle), crazy.
foule, *f.*, crowd.
fourrer, stuff, intrude.
frais, fraîche, fresh.

frais, *m. pl.,* expenses.
fran-c –che, frank.
franc, *m.,* franc (about 20 cents).
français, French.
frère, *m.,* brother.
frimas, *m.,* mountain snow.
frissonner, quiver, shiver.
froisser, irritate, offend.
front, *m.,* forehead.
frotter, rub.
fumer, smoke.

G

gabelou, *m.,* tax-squeezer.
gagner, earn, gain.
gaiement, gaily, joyously.
galanterie, *f.,* love making.
gambader, prance, gambol.
garantie, *f.,* guaranty.
garçon, *m.,* boy, fellow, man-servant.
garde, *m.,* guard.
garde, *f.,* care.
garder, keep.
gare, *f.,* station.
gâteau, *m.,* cake.
gauche, left.
gêner, annoy.
Genève, Geneva.
gens, *m. and f.,* people.
gentil, kind, nice.
gentilhomme, gentleman.
gérant, *m.,* manager.
glace, *f.,* ice.
glisser, slip.
gonfler (se), swell.
gouffre, *m.,* gulf.
gourmand, *m.,* glutton.

goutte, *f.,* drop.
grâce, *f.,* grace.
gradé, graduated, ranked.
grammaire, *f.,* grammar.
grammatical, grammatical.
grand, great, grand; —'route, high-road.
gras –se, fat.
grave, serious.
gré; savoir —, be pleased, be content, thank.
grincer, grind.
grog, *m.,* punch.
guère; ne —, hardly.
guéridon, *m.,* pier table.
guérir, heal, cure.
guérison, *m.,* cure.
guerre, *f.,* war.
guichet, *m.,* wicket, window.
guide, *m.,* guide.
Guillaume, William.

H

habiter, inhabit, live in.
habits, *m. pl.,* clothes
habitude, *f.,* habit.
hasard, *m.,* chance.
hâte, *f.,* haste.
haut, high, aloud.
haut, *m.,* height.
hautement, aloud.
hauteur, haughtiness.
hein, eh!
héroïque, heroic.
hésitation, *f.,* hesitation.
hésiter, hesitate.
heure, *f.,* hour, o'clock; **à la bonne —,** good! well! really!

heureusement, fortunately.

heureu-x –se, happy, fortunate.

heurter, jostle.

hier, yesterday.

histoire, *f.*, story, talk, fuss.

hiver, *m.*, winter.

Holà, hallo!

hommage, *m.*, homage.

homme, *m.*, man.

honnête, fine.

honneur, *m.*, honor.

honorable, honorable.

horizon, *m.*, horizon.

horrible, horrible.

huile, *f.*, oil.

humanité, *f.*, mankind.

humilier, humiliate.

huit, eight, eighth.

huitième, eighth.

I

ici, here; **par —,** this way.

idée, *f.*, idea.

ignorer, ignore, be ignorant of, not know.

illustre, illustrious.

image, *f.*, image, picture.

imbécile, imbecile, silly.

immédiatement, immediately.

immense, immense.

impatience, *f.*, impatience.

impatienter, make impatient, put out of patience.

important, important, "stuck up."

importer, matter.

imposer, impose; **s'—,** be officious.

impression, *f.*, impression.

imprévu, unforeseen.

imprimer, put in print.

improvisation, *f.*, improvisation.

imprudence, *f.*, imprudence.

impuissant, powerless.

incapable, incapable.

incident, *m.*, incident.

incliner, bow.

incrédule, incredulous, skeptical.

indépendance, *f.*, independence.

indépendant, independent.

indiquer, point to, indicate.

indiscret, indiscreet.

indiscrétion, *f.*, indiscretion.

infamie, *f.*, infamy.

inférieur, inferior.

infiniment, greatly.

infirmité, *f.*, infirmity,

influencer, influence.

informe, shapeless.

informer, inform; **s'—,** inquire.

ingénieu-x –se, ingenious.

ingratitude, *f.*, ingratitude.

injure, *m.*, injury.

innocent, innocent.

inouï, unheard of.

inquiet, restless, anxious.

inquiéter, disturb.

inscrire, inscribe.

insensé, tremendous, fierce; *page 59, line 21,* madman.

instamment, earnestly.

instant, *m.*, instant.

institution, *f.*, institution.

instrumenter, serve a writ (*legal*).

insulter, insult.

insupportable, insupportable, unbearable.

intelligent, intelligent.

intention, *f.*, intention.

intérieur, interior.

interroger, interrogate, question.

interrompre, interrupt.

intimement, intimately.

intimider, intimidate.

introduire, introduce, put.

inutile, useless.

inviter, invite.

ir–, *see* aller.

ironiquement, ironically.

itinéraire, *m.*, itinerary.

J

jamais, ever, never; ne —, never.

jambe, *f.*, leg.

jardin, *m.*, garden.

jeter, throw.

jeune, young.

joie, *f.*, joy.

joli, pretty.

jouer, play, pretend.

jouir, enjoy.

jour, *m.*, day.

journa-l –ux, *m.*, newspaper.

journée, *f.*, day.

juillet, July.

jurer, swear.

jury, *m.*, jury.

jusqu'à, as far as; jusque-là, till then.

juste, just, right, exactly; *page 37, line 31*, true.

justice, *f.*, justice.

K

kirsch, *m.*, cherry-brandy.

L

là, there; —-bas, over there; —-dedans, in there.

laborieu-x –se, troublesome, hardworking.

laisser, let, leave.

langue, *f.*, tongue, language.

laquelle, *f.*, which.

las, lasse, tired.

leçon, *f.*, lesson.

lecture, *f.*, reading.

ledit, aforesaid.

léger, light, slight.

lentement, slowly.

lequel, *m.*, which. [of exchange.

lettre, *f.*, letter; —de change, bill

lever (se), rise.

liberté, *f.*, liberty.

libre, free.

lien, *m.*, tie, link.

lier, connect.

lieu, *m.*, place.

lieue, *f.*, league.

lièvre, *m.*, hare.

ligne, *f.*, line.

lion, *m.*, lion.

lire, read.

lis, lis–, *see* lire.

livre, *m.*, book.

livret, *m.*, catalogue.

loi, *f.*, law.

loin, far.

loisir, *m.*, leisure.

long –ue, long; à la —, in the end; — d'une, as long as a.

longtemps, a good while.
lorgnette, *f.*, field-glass, eye-
lorsque, when. [glass.
loyal, loyal.
loyalement, loyally.
lumière, *f.*, light.
lutte, *f.*, contest.

M

M. (monsieur), Mr.
madame, Madam.
mademoiselle, *f.*, miss.
magnifique, magnificent.
main, *f.*, hand.
maintenant, now.
mais, but.
maison, *f.*, house.
maître, *m.*, master.
majestueusement, pompously.
majestueu-x –se, majestic.
malgré, in spite of.
malheureu-x –se, unfortunate.
malle, *f.*, trunk.
maman, *f.*, mama.
manger, eat.
manière, *f.*, manner.
manant, *m.*, boor.
manifester, show.
manquer, miss, fail, lack.
manteau, *m.*, cloak.
marchand, *m.*, –e, *f.*, vendor,
  merchant.
marche, *f.*, course.
marchepied, *m.*, step.
marcher, walk.
mari, *m.*, husband.
mariage, *m.*, marriage.
marier, marry.

Marseille, Marseilles.
masquer, mask.
masse, *f.*, mass.
matin, *m.*, morning.
mauvais, bad.
mécanique, *f.*, spring, mecha-
  nism.
méchant, wicked, mean; *page
  77, line 25,* dangerous.
meilleur, better, best.
mêler (se), meddle.
même, same, even, very.
ménage, *m.*, household.
mépris, *m.*, scorn.
mer, *f.*, sea; **— de glace,** *name
  of a glacier.*
merci, thanks.
mercredi, wednesday.
mère, *f.* mother.
mérite, *m.*, merit.
mériter, deserve.
messieurs, *m. pl.*, gentlemen.
mesure, *f.*, measure.
métier, *m.*, trade, job.
mettre, put, put on.
meubles, *m. pl.*, furniture.
midi, *m.*, noon.
mieux, better, best.
milieu, *m.*, midst, middle.
militaire, *m.*, soldier.
mille, *m.*, thousand.
million, *m.*, million.
minute, *f.*, minute.
mis, *see* **mettre.**
misère, *f.*, trifle, pettiness.
modeste, modest.
modestement, modestly.
modestie, *f.*, modesty.

moins, less, least; **à —,** unless.

mois, *m.,* month.

moitié, *f.,* half.

moment, *m.,* moment.

monde, *m.,* world, society.

monsieur, *m.,* Mr., Sir, gentleman.

mont, *m.,* mountain, mount.

montagne, *f.,* mountain.

montant, *m.,* amount.

monter, mount; **se — la tête,** get excited.

montre, *f.,* watch.

montrer, show.

morceau, *m.,* piece.

mort, *f.,* death.

mortel, –le, mortal.

mot, *m.,* word.

motif, *m.,* motive.

moucher (se), blow or wipe the nose.

mourir, die.

moustache, *f.,* moustache.

mouvement, *m.,* movement.

moyen, *m.,* means.

musée, *m.,* museum.

mystère, *m.,* mystery.

N

n', *see* **ne.**

nage, *f.,* **en —,** dripping, perspiring.

naïvement, simply, naively.

nation, *f.,* nation.

nationalité, *f.,* nationality.

nature, *f.,* nature.

ne . . . pas, not; **— . . . que,** only; **— . . . rien,** nothing;

— . . . jamais, never; **— . . . ni, . . . ni,** neither, . . . nor; **— . . . guère,** hardly.

néant, *m.,* void.

nécessaire, necessary.

neige, *f.,* snow.

nettoi–, *see* **nettoyer.**

nettoyer, clean.

neuf, nine.

nez, *m.,* nose.   [. . . nor.

ni. ne . . . —, . . . —, neither,

nièce, *f.,* niece.

noblesse, *f.,* nobility, magnanimity.

nom, *m.,* name.

nommer, name.

non, no.

notable, notable.

notaire, *m.,* notary.

note, *f.,* note.

notice, *f.,* notice.

notoriété, *f.,* repute.

nôtre, ours; *page 27, line 13,* our company.

nourrir, feed.

nouvelles, *f. pl.,* news.

nuit, *f.,* night.

nuitamment, by night.

numéro, *m.,* number.

O

obligation, *f.,* obligation.

obliger, oblige.

obscurcir (s'), darken, grow obscure.

observer, observe.

obtenir, obtain.

occasion, *f.,* chance.

occuper, occupy; s'—, be busy.
offenser, offend.
offert, *see* offrir.
offrir, offer.
ombrageu-x −se, skittish, balky.
omelette, *f.*, omelet.
on, one, they, we, you.
opération, *f.*, operation, ma-
  nœuvre.
opérer, operate.
opposer, oppose.
or, *m.*, gold.
or, now.   [place.
ordinaire, ordinary, common-
ordre, *m.*, order, sense of order.
orgueil, *m.*, pride.
origina-l −ux, peculiar, unique.
orthographe, *f.*, spelling.
oser, dare.
ou, or.
où, where.
oublier, forget.
oui, yes.
outrance, *f.*, the uttermost.
ouvert, *see* ouvrir.
ouvrage, *m.*, work.
ouvrir, open.

P

page, *f.*, page.
paiement, *m.*, payment.
paire, *f.*, pair.
paltoquet, *m.*, lout, clown.
panama, *m.*, straw hat.
papa, *m.*, papa.
papier, *m.*, paper.
paquebot, *m.*, packet-boat.
paquet, *m.*, package, bundle.

par, by, for; — an, a year, by
  the year.
paradoxe, *m.*, paradox.
parais, paraiss−, *see* paraître.
paraître, seem.
parapluie, *f.*, umbrella.
parbleu, confound it.
parce que, because.
pardon, *m.*, pardon, excuse me.
pardonner, pardon.
pareil, −le, like; un —, such a.
parfait, perfect.
parfaitement, readily.
parler, speak.
parmi, among.
parole, *f.*, word.
pars, *see* partir.
part, *f.*, part, share, side; *page
  33, line 19,* quelque —, some-
  where; à —, aside.
partager, share.
parti, *m.*, decision, choice, match.
partie, *f.*, part, match.
partir, leave, depart.
pas, *m.*, pass, place, step.
pas. ne . . . —, not.
passer, pass; *page 33, line 1,*
  send.
passion, *f.*, passion.
pastille, *f.*, pastille, lozenge.
patron, *m.*, master.
pauvre, poor.
pavé, *m.*, pavement.
pavillon, *m.*, wing (*cf a house*).
payer, pay.
pays, *m.*, country.
peindre, paint.
peine, *f.*, grief, trouble.

peintre, *m.*, painter.

pendant, during.

pendant, *m.*, counterpart.

pénétrer, penetrate.

pénible, painful.

pensée, *f.*, thought.

penser, think.

pensi-f –ve, thoughtful.

pensionnat, *m.*, boarding-school.

perdre, lose.

père, *m.*, father.

pérégriner, wander.

péripétie, *f.*, happening.

permettre, permit.

permission, *f.*, permission.

persister, persist.

personnage, *m.*, person, character (*in a play*).

personnalité, *f.*, personality.

personne, *f.*, person; ne . . . —,
petit, little.　　　　　[nobody.

peu, little, few.

peur, *f.*, fear.

peut, *see* pouvoir.

peut-être, perhaps.

peuv–, peux, *see* pouvoir.

philosophe, *m.*, philosopher.

philosophie, *f.*, philosophy.

phrase, *f.*, phrase.

piano, *m.*, piano.

pincé, affected.

pincer, catch.

piquer, prick.

pitié, *f.*, pity.

place, *f.*, place.

placer, place.

plainte, *f.*, complaint.

plaire, please.

pla-is, –ît, *see* plaire.

plaisanter, joke, jest.

plaisir, *m.*, pleasure.

planter, plant.

plein, full.

pleurer, weep.

pleurs, tears.

pleut, *see* pleuvoir.

pleuvoir, rain.

plier, bend.

pluie, *f.*, rain.

plume, *f.*, feather, pen.

plus, more, plus; ne . . . —, no
longer, not again.

plusieurs, many.

poche, *f.*, pocket.

poignée, *f.*, clasp.

point, *m.*, point.

poisson, *m.*, fish.

poli, polite.

police, *f.*, police.

poliment, politely.

politique, *f.*, politics.

porte, *f.*, door.

portefeuille, *m.*, pocketbook.

porter, carry.

poser, pose, put; *page 40, line 10*,

position, *f.*, position. [put up.

possible, possible.

poste restante, to be called for
(*of letters*).

postérité, *f.*, posterity.

pot, *m.*, pot.

poudrière, *f.*, powder-magazine.

pour, for, in order to.

pourquoi, why; — faire, *page
38, line 1*, what for.

pourr–, *see* pouvoir.

poursuite, *f.*, prosecution.
poursuivre, prosecute.
pourtant, though, yet, still.
pourvu que, provided that, so long as.
pousser, push, utter; *page 77, line 31*, sprout.
pouvoir, can, be able, may, can do; **se —,** may be.
praticable, usable (*on the stage*).
précipice, *m.*, precipice.
précipiter (se), hurry, rush up.
précis, exactly, precisely.
préférer, prefer.
préfet, m., prefect.
premier, first.
pren-, *see* **prendre.**
prendre, take, put on.
préparer, prepare.
près, near; **à peu —,** pretty nearly, pretty much.
présence, *f.*, presence; **— d'esprit,** presence of mind.
présent, present.
présenter, present, offer.
presque, almost, hardly.
presse, *f.*, journalism.
presser, press, hurry, be urgent.
prêt, ready.
prétendre, pretend.
prétendu, *m.*, suitor.
prétention, *f.*, pretention, claim.
prêter, lend.
preuve, f., proof.
prévaloir, presume.
prévenance, *f.*, attention.
prévenir, notify, warn.
prier, ask.

primo, first, firstly.
prince, *m.*, prince.
principal, *m.*, main thing.
pris, *see* **prendre.**
prise, *f.*, seizure.
prison, *f.*, prison.
priver, deprive.
prix, *m.*, price.
procès, *m.*, prosecution.
procès-verbal, *m.*, sworn statement.
prochain, next.
proclamer, proclaim.
produire, produce; **se —,** happen.
professeur, *m.*, professor.
programme, *m.*, programme.
projet, *m.*, project.
promener (se), walk.
promettre, promise.
promis, *see* **promettre.**
prononcer (se), decide.
propre, own.
protecteur, patronising.
psit! (*to call attention*).
pu, *see* **pouvoir.**
public, public.
publique, *f.*, public.
puis, *see* **pouvoir.**
puis, then.
puisque, since.
puissant, powerful.
pur, pure.

Q

qu', *see* **que.**
qualifié, named, specified (*legal*).
quand, when.
quant à, as for.

quarante, forty.

quart, quarter.

quartier, *m.*, district.

quatre, four.

que, that, which, whom, how. ne —, only.

quel, -le, what.

quelque, some, *pl.*, a few.

quelquefois, sometimes.

quereller, dispute with.

querelleur, *m.*, quarreller, quarrelsome fellow.

question, *f.*, question.

questionner, question.

queue, *f.*, line.

qui, who.

quinzaine, *f.*, fortnight.

quinze, fifteen.

quitte, *page 65, line 11*, quits.

quitter, leave, lose.

quoi, what.

R

raccommodement, *m.*, patching, mending, reconciliation.

raconter, relate, tell.

raide, stiff.

raison, *f.*, reason; en — de, in proportion to; avoir —, be right.

raisonnement, *m.*, reasoning.

ramener, bring back.

rancune, *f.*, ill feeling.

ranger, rank.

ranimer, freshen.

rapide, quick.

rappeler, recall.

rapporter, bring back.

rare, rare.

rarement, rarely.

rassurer, reassure.

rayonner, shine.

rebut, *m.*, refuse.

recevoir, receive.

récit, *m.*, story, recital.

réclame, *f.*, puffing.

réclamer, reclaim, demand.

recommander, recommend.

récompenser, reward.

reconduire, lead back.

reconnaissance, *f.*, gratitude.

reconnaître, recognize.

reçu, *see* recevoir.

recueiller, gather.

reculer, withdraw.

redingote, *f.*, (frock-)coat.

redouter, dread.

réfléchir, reflect.

refrain, *m.*, refrain.

refroidir, cool.

refuser, refuse.

regarder, concern, look, look at.

registre, *m.*, register.

regret, *m.*, regret.

regretter, regret.

reine, *f.*, queen.

reins, *m. pl.*, back.

réitérer, repeat.

rejoindre, rejoin.

relire, read again.

remarquer, observe.

rembourser, pay.

remercier, thank.

remercîments, *m.*, thanks.

remettre, remit, hand over; *page 21, line 22*, make well.

remonter, go up (*the stage, i.e. back*).

remorqueur, *m.,* tow-boat, tug.

remplacer, replace.

rencontre, *m.,* meeting.

rencontrer, meet.

rendre, render, do, return.

rendez-vous, *m.,* appointment, place of meeting.

renfermer, shut up.

renseignement, information, investigation. [man.

rentier, *m.,* independent gentle-

rentrer, re-enter, come back, push back into.

renverser, overturn.

renvoi, *see* **renvoyer.**

renvoyer, send away.

repars, *see* **repartir.**

repartir, start again.

repas, *m.,* meal.

repasser, come back.

repêcher, fish up.

répéter, repeat.

répétition, *f.,* à —, repeating.

répondre, respond.

réponse, *f.,* response.

reposer, rest.

repoussant, repulsive.

repren-, *see* **reprendre.**

reprendre, take again, take up, correct, renew relations with; — **la corde,** "catch on" again.

représenter, represent, act.

reproche, *m.,* reproach, fault-finding.

reprocher, reproach, find fault with.

réserver, reserve.

résolu-, *see* **résoudre.**

résoudre, resolve.

respect, *m.,* respect.

ressemblance, *f.,* resemblance.

ressentiment, *m.,* resentment.

reste, au —, besides.

rester, stay, be left.

retenir, hold back.

retirer, withdraw.

retour, *m.,* return; **de —,** back.

retourner, return.

retrouver, find again.

réussir, succeed.

revenir, come back.

rêver, think.

reverr-, *see* **revoir.**

revien-, *see* **revenir.**

revirement, *m.,* change, turning.

revoir, see again; **au —,** good bye.

révolter, disgust.

révolutionnaire, *m.,* revolutionist.

rhum, *m.,* rum.

rhumatisme, *m.,* rheumatism.

rideau, -x, *m.,* curtain.

ridicule, ridiculous.

rien, nothing.

rire, *m.,* laugh.

risquer, risk.

rival, *m.,* rival.

robe, *f.,* gown, skirt.

ronde, *f.,* patrol.

rouler, roll.

route, *f.,* way, journey.

Russe, Russian.

rustique, rustic.

S

sac, *m.*, sack, bag; — de nuit, travelling-bag.

sacrifice, *m.*, sacrifice.

sais, *see* savoir.

saisir, seize.

salle, *f.*, hall; — d'attente, waiting-room; — à manger, dining-room.

salon, *m.*, parlor.

saluer, salute, bow to.

salut, *m.*, bow.

sang, *m.*, blood.

sang-froid, *m.*, self-possession, coolness.

sanglot, *m.*, sob.

sangloter, sob.

sans, without.

santé, *f.*, health.

sapin, *m.*, fir-tree.

saprelotte! gracious!

sapristi! goodness!

satisfait, satisfied.

sauf, saving, safe.

saur-, *see* savoir.

sauver, save; se —, run away.

sauveur, *m.*, savior.

savoir, know.

scène, *f.*, scene.

séance, *f.*, sitting.

sec, sèche, dry.

sèchement, dryly.

second, second.

secundo, secondly.

sel, *m.*, salt.

semaine, *f.*, week.

semblable, *m.*, *page 37, line 28,* fellow-man.

sembler, seem.

sens, *see* sentir.

senti, sentimental.

sentier, *m.*, path.

sentiment, *m.*, feeling.

sentir, feel.

sept, seven.

septembre, September.

sergent, *m.*, sergeant.

sérieusement, seriously, really.

sérieux, serious.

serpenter, wind.

serrer, squeeze.

service, *m.*, service, assistance.

servir, serve.

seul, alone.

seulement, only, even.

si, if, yes, so.

siècle, *m.*, age, century.

siège, *m.*, seat, driver's box.

sieur, Mr. (*legal*).

signal, *m.*, signal.

signaler, tell.

signe, *m.*, sign.

signer, sign.

signifier, mean.

silence, *m.*, silence.

simple, simple.

simplement, simply.

singulier, singular, queer.

situation, *f.*, situation.

six, six.

sixième, sixth.

social, social; capital —, stock capital.

société, *f.*, society, company.

sœur, *f.*, sister.
soi, one's self.
soin, *m.*, care.
soir, *m.*, evening.
soit, so be it.
soixante-douze, seventy-two.
soleil, *m.*, sun.
solide, firm, solid.
songer, think, dream.
sonner, ring.
sonnette, *f.*, bell.
sordide, mean.
sortir, go out.
sou, *m.*, cent.
souffler, blow.
souffrir, suffer, permit.
souhaiter, wish.
sourd, deaf.
sous, under.
soutenir, support.   [brance.
souvenir, remember;   remem-
souvent, often.
souvien-, *see* souvenir.
spectacle, *m.*, spectacle.
spirituel, witty.
splendeur, *f.*, glory.
splendide, splendid.
store, *m.*, window shade.
stupéfait, surprised.
sucrer, sweeten.
suffire, suffice.
Suisse, Switzerland.
suite, *f.*, result, following; donner —, prosecute; tout de —,
immediately.
suivre, follow.
superieur, superior.
suppliant, *m.*, suppliant.

supplier, beg.
supporter, support.
supposer, suppose.
sur, on, over.
sûr, sure.
surpasser, surpass.
surtout, especially.
sympathie, *f.*, sympathy.

T

table, *f.*, table.
tableau, *m.*, picture, pantomime,
scene.
tache, *f.*, spot.
tâcher, try.
tandis que, while.
tant, as much, so much; tant
que, as much as, as long
as.
tantôt, just now.
tapis, *m.*, cover, cloth.
tapissier, *m.*, upholsterer.
tard, late.
tarder, be long, delay.
tasse, *f.*, cup.
tel, such.
témoin, *m.*, witness.
temple, *m.*, temple.
temps, *m.*, time.
tenace, persistent.
tendre, stretch.
tenir, hold; *page 14, line 3*, take
this; *page 31, line 25*, desire;
page 32, line 26, want; *page 45,
line 24*, care; — à, *page 26,
line 28*, be the fault of.
terminer, finish.
terrain, *m.*, duelling-ground.

terre-neuve, *m.*, Newfoundland dog.

tertio, thirdly.

tête, *f.*, head.

thé, *m.*, tea.

théâtre, *m.*, stage, theatre.

tiendr–, *see* tenir.

tiens, stay! here! *See also* tenir.

timbré, stamped.

tirer, draw, pull.

titre, title, certificate (*of stock*).

toile, *f.*, canvas.

tomber, fall.

ton, *m.*, tone, manner.

tort, *m.*, error, wrong.

tortue, *f.*, tortoise.

tôt, soon.   [*line 20*, say.

toucher, touch, collect; *page 24*,

toujours, always, still.

tour, *m.*, turn.

tourmenter, torment.

tournoi, *m.*, tourney, tournament.

tous, all (*pl.*).

tout, all, — à coup, all at once; — à fait, wholly; du —, at all.

train, *m.*, train.

traîner, drag, lie about.

trait, *m.*, trait, feature, act.

tra-la-la, (*singing*).

tranquille, quiet, tranquil.

tranquillité, *f.*, tranquillity.

travailler, work.

trente, thirty.

très, very.

trésor, *m.*, treasure.

trimestre, *m.*, quarter (*of a year*), quarter's salary.

tristement, sadly.

trois, three.

tromper, deceive.

trop, too, too much.

trou, *m.*, hole.

troubler, trouble.

trouver, find.

tuer, kill.

tumulte, *m.*, tumult.

U

un, une, a, an, one.

usurier, *m.*, usurer.

V

va, va–, *see* aller; *page 14, line 2*, — pour, call it.

vaincre, conquer.

vainqueur, *m.*, conqueror.

vais, *see* aller.

valise, *f.*, valise.

valoir, be worth; — mieux, be better.

vanité, *f.*, vanity.

vanter, boast, be proud.

variété, *f.*, variety.

vase, *m.*, vase.

vaudr–, *see* valoir.

vaut, –x, *see* valoir.

veau, *m.*, veal.

vecu, *see* vivre.

veiller, watch.

veine, *f.*, luck.

vendre, sell.

venir, come.

vérité, *f.*, truth; en —, really.

verr–, *see* voir.

verre, *m.*, glass.

vers, toward.
verse. pleut à —, is raining [hard.
verser, shed.
veuill–, *see* **vouloir.**
veul–, *see* **vouloir.**
veut, –x, *see* **vouloir.**
vi–, *see* **voir.**
vibrer, vibrate.
victime, *f.,* victim.
vide, empty.
vie, *f.,* life.
vien–, *see* **venir.**
vif, quick.
ville, *f.,* city.
vinaigre, *m.,* vinegar.
vingt, twenty.
vis-à-vis, opposite; **— l'un de l'autre,** toward one another.
visite, *f.,* visit.
visiteur, *m.,* visitor.
vite, quick.
vivacité, *f.,* vivacity, irritation.
vivement, quickly, eagerly.
vivre, live.
voici, see here! here is, there are.
voilà, look! see! there is, there are.
voir, see.
voiture, *f.,* carriage.

voix, *f.,* voice.
volonté, *f.,* will.
volontiers, willingly.
volume, *m.,* book, volume.
vont, *see* **aller.**
vôtre, yours.
voudr–, *see* **vouloir.**
vouloir, wish, want; **— dire,** assume, pretend; **en — à,** have a grudge toward.
voy–, *see* **voir.**
voyage, *m.,* journey, trip.
voyager, travel.
voyageur, *m.,* traveller.
vrai, true.
vraiment, really.
vu, *see* **voir,** *page 50, line 2,* in view of.
vue, *f.,* view.

W

wagon, *m.,* car, carriage.

Y

y, in, at *or* to it *or* them, there.
yeux, *m.,* eyes.

Z

zouave, *m.,* zouave.

COMPOSITION EXERCISES

By CAROLINE SHELDON
Associate Professor of Modern Languages in Grinnell College

I. *Act I, Sc. 1.*

1. Majorin was in the station of the Lyons railway. 2. He was waiting for Perrichon. He had been waiting for an hour. 3. He was walking impatiently upon the platform.[1] 4. The cake-seller could be seen; also a row of doors. 5. In the French stations, the waiting-rooms are of three classes. 6. Perrichon was a carriage-maker, but Majorin was a clerk. 7. He wished to ask Perrichon to advance his quarter's salary. 8. He would put on a condescending air. 9. Ask the official at what time the train leaves for Lyons. 10. Is it a through train?

[1] *le quai.*

II. *Act I, Sc. 2.*

1. Perrichon's straw hat was left in the cab. 2. The Perrichons[1] were all very warm. 3. It was Perrichon's fault. 4. He hurried his wife and daughter. 5. He said to them, "Stay here, I am going to buy the tickets." 6. He told them he was going to buy the tickets. 7. He bought three first-class tickets for Lyons. 8. This was the first time he had ever traveled. 9. He wished to be early (in order) to look at the station. 10. He has been promising them this trip for two years. 11. He had been waiting only until his daughter's education was finished.

[1] What about the plural of family names?

III. *Act I, Sc. 3 and 4.*

1. Daniel entered with a porter who was carrying his trunk. 2. He did not know where he was going and Madame Perrichon would not tell[1] (it) him. 3. He thought they were going to Marseilles. 4. He wished to know where they were going, before buying his tickets. 5. Armand also wished to buy tickets for Lyons. 6. The two young men[2] wished to have their trunks registered. 7. Perrichon had gone to the baggage room. 8. There were many trunks on the scales. 9. Armand asked, "Can I do anything[3] for the ladies?" 10. Porters and travelers were coming and going on the platform.

[1] not the conditional of *dire.* [2] *jeunes gens.* [3] *servir à.*

IV. *Act I, Sc. 5–7.*

1. Majorin was mistaken, the train would not start for two hours. 2. Perrichon was busy with the baggage. 3. It was very kind of Majorin to come. 4. The ticket-office was not open, and he was obliged to wait. 5. Hurry and drink your coffee. 6. They had a little favor to ask him. 7. He is anxious to state it to them. 8. He was to receive his steamship dividends on the eighth of the month. 9. Joseph did not know when the major would return. 10. He is to write to the major at Geneva, general delivery.

V. *Act I, Sc. 8, 9.*

1. They (*fem.*) were tired of sitting, when Perrichon came with the baggage-receipt. 2. The porter put the baggage on a truck, and Perrichon gave him a franc, but fifty centimes was enough. 3. Henriette began writing the expenses and her father's impression of the journey in a note-book. 4. Perrichon disputed with his wife, when the official asked him for their tickets. 5. Daniel had some first-class chocolate lozenges and so had Armand. 6. They both admired the carriage-maker's daughter. 7. The two young men promised each other to be straightforward. 8. Perrichon wished

a book free from nonsense, for his wife and daughter.
9. They were on the steps of the railway-carriage. 10. The contest was[1] to be honorable.

[1] *Devoir.*

VI. *Act. II, Sc. 1.*

1. We will take our coffee pretty soon. Mr. Perrichon has just taken his. 2. They told the innkeeper to give[1] the guide something to eat. 3. They got into the (same) compartment with the Perrichons. 4. Armand lent his newspaper to Perrichon, who went to sleep over it. 5. It must have tired the young man. 6. We got our board free. 7. The matter was very serious. 8. It would be still more so, if she were not a carriage-maker's daughter. 9. She looked at them several times. 10. They stopped at the same hotel.

[1] Subjunctive.

VII. *Act II, Sc. 1.*

1. Armand wished to warn Daniel, so he had stayed. 2. Daniel asked for a holiday, and the manager did not hesitate to give it to him. 3. Perrichon had not come, he had changed his route. 4. They all intended leaving for Ferney. 5. They went to Lausanne, expecting to find him. 6. Armand could not sit still. 7. They both went to meet the ladies, who had just left Lausanne. 8. Daniel offered him some coffee, but he would not take any. 9. They are anxious to visit Chamounix. 10. They were looking through the window at the mountains covered with snow.

VIII. *Act II, Sc. 2, 3.*

1. Armand was a fine fellow, all enthusiasm and feeling. 2. They did not know how to take comfort. 3. His father-in-law tried to have him sit down. 4. He sat behind the table, reading the fable of "The Hare and the Tortoise."

5. The travelers had written stupid things in the register.
6. Daniel came near being killed. 7. He had mounted a horse,
with spurs too, he, who was no horseman. 8. The horse was
skittish and shied. 9. He did it unintentionally; he had just
mounted. 10. Madame Perrichon thought the father of a
family ought not to ride horseback.

IX. *Act II, Sc. 3.*

1. Henriette would have disappeared over the precipice,
if it had not been for this gentleman. 2. I was in there
already. Didn't you see me rolling? 3. He rushed forward,
cool and courageous. 4. There was no danger, so we calmed
ourselves. 5. It did her good to cry. 6. She said that she
would remember that day all her life. 7. I shall speak in
my turn. 8. He was certainly wrong in staying at the inn.
9. He had the horse led back. 10. We all went to the inn
for breakfast.

X. *Act II, Sc. 4.*

1. What did he say to that? 2. He said it was pure luck.
3. Daniel was joking, but Armand was serious. 4. He leaves
this very night for Paris. 5. He wished them all happiness.
6. They understand each other well. 7. Daniel understood
that Armand wished to ask a favor of him. 8. He begged
it of him, we beg it of you. 9. He could not do it himself.
10. Daniel said he would propose for Armand.

XI. *Act II, Sc. 5, 6.*

1. Of course Perrichon saved his life. They saved each
other's lives. 2. You will have a place in his heart as long as
it beats. 3. My gratitude will never fail. 4. But he is a banker.
I am director of a steamship company. 5. O, these women,
you understand, they are always getting excited. 6. O, yes:
I am grateful to him for what he has done, and shall repeat
my thanks to him. 7. He thought about it, while putting

on his overshoes. 8. Had Armand seen her? 9. But the contest will be none the less honorable on that account. 10. He has no motives, but I have a powerful one.

XII. *Act II, Sc. 7, 8.*

1. Perrichon was ready, but where was Armand? 2. The accident was forgotten; they were leaving for the *Mer de Glace.* 3. It seems that he found his beautiful thought; it was not an ordinary idea. 4. The guide was waiting for the gentlemen. 5. The major was to stay only a minute. 6. While he was writing in the register, the major began talking to Armand. 7. Seven persons have come here today. Among them is a young man who says he is a banker. 8. He was particular to say that he did not wish to escape prosecution. 9. As soon as Armand returned to Paris, he had the major put in prison. 10. The latter was desirous of being imprisoned.

XIII. *Act II, Sc. 9.*

1. Armand thought the major was commonplace. 2. Madame Perrichon thought that Armand was going with the others. 3. Armand thought his firm probably had a branch at Etampes. 4. She considered Switzerland too mountainous. 5. He meant that Mr. Pingley was a banker. 6. He had been following them for days. 7. Daniel had just fallen into an abyss; but Mr. Perrichon restored a man to society. 8. Yes, that is correct; he knows it very well. 9. Before leaving the place, he again wrote in the register. 10. The major called Perrichon's attention to the fact that *mer* has no final *e*.

XIV. *Act. II, Sc. 10; Act III, Sc. 1, 2, 3.*

1. It was raining torrents; no one could go on horseback in such weather as that. 2. They will arrive on Wednesday, July 10, at noon. 3. I have had the curtains put up, I am cleaning the flat. 4. Here are his papers; there are a great many cards. 5. John thought Perrichon had grown stout.

6. John was a servant, he did not go to Switzerland.
7. Perrichon changed his mind; he preferred Daniel. 8. He
is grateful to him for it ; but he never mentions it to him.
9. Perrichon said he had no vanity, but thought he had a
right to have a little. 10. What did Henriette know about it?
They will choose the one whom she prefers.

XV. *Act III, Sc. 4, 5, 6, 7.*

1. Her father had something serious to say to her. One
suits you; the other, me. 2. She was ready to accept the
one they preferred. 3. Yes. Come in; they have just returned. 4. I learned that they were to return today. 5. He
lost the watch by refusing to pay the duty. 6. You are
welcome. Come in; we expected you. 7. I introduced him
to you; we saved each other's lives. 8. This (He) is one
of his best friends. If it were not for him, I could not pay
you your dividend to-morrow. 9. Do read; your name is
in the paper; it cost three francs a line. 10. The janitor
received the summons. Perrichon owed no one anything,
but people owed him.

XVI. *Act III, Sc. 7, 8, 9, 10, 12.*

1. There is no use in talking, he lost that watch. 2. Daniel
had no grudge against him, on the contrary he was grateful
to him for his kindness. 3. The visits might be embarrassing
for the young lady. 4. He was particular about the likeness.
5. They were to see each other no more. 6. There were
many Perrichons in Paris. He had already called upon ten.
7. No; I do not wish to teach the gentleman a lesson.
8. Perrichon was going to fight. 9. I can not let him fight a
zouave. 10. He thought he ought to notify the prefect of
police that two madmen were going to fight. One of them
was a carriage-maker.

XVII. *Act III, Sc. 18; Act IV, Sc. 1, 2, 3, 4.*

1. Perrichon could not accompany his wife and daughter; it was imposible. 2. John carried their letters to the Prefect of Police. 3. Daniel was not making any noise. How was Perrichon feeling? 4. They wished to arrive before three o'clock. 5. What is going on? He does not wish to be a second; that would cause him to lose his job. 6. There was nothing to fear, the authorities had been notified of what was going on. 7. Perrichon was disappointed because Armand had the major imprisoned. 8. I thought you were in prison. I was, but I have come out. 9. He was very sorry to have kept them waiting. 10. They are all unfeeling; why, his daughter was calmly watering her flowers.

XVIII. *General Exercise.*

There was once a family named Perrichon. They lived in Paris. The father had been a carriage-maker, but at the time of our story had retired from business, and planned to travel with his wife and daughter. Their first journey was to Switzerland. The father was much excited, took a great deal of trouble, and hurried his wife and daughter. He wished to take notes on the journey and gave his daughter a note-book for recording his impressions. He used fine language, which was not pleasing to his wife, a woman of good sense, and no foolish notions. However, he thought she was cross, because she had come without having had her coffee.

XIX. *General Exercise.*

Armand and Daniel were two young men who admired Henriette and wished to marry her. Of course she could not marry both of them, because that was against the law in France. So they promised each other to be friendly rivals and carry on a straightforward contest. They followed the Perrichons to Switzerland, where the men of the company seem to have spent their time saving each other's lives, like three well-trained Newfoundland dogs.

When the major appeared, a new element was added, because he was in debt to Armand and had offended Perrichon by correcting the latter's spelling.

XX. *General Exercise.*

Finally, Perrichon, by listening at the door, learns that Daniel does not think him very wise, and decides to give his daughter to Armand, whom she prefers. Also, the duel is prevented, the major's anger calmed, and the debt to Arnold paid. Every one is happy, except Majorin, who is quick to take offense, jealous of Perrichon's prosperity, and always ready to believe that every careless word is meant for him.[1] Even John, though he is told to pack up his baggage and go, is happy, because before leaving he knows what is going on.

[1] *à son adresse* or *une pierre dans son jardin.*